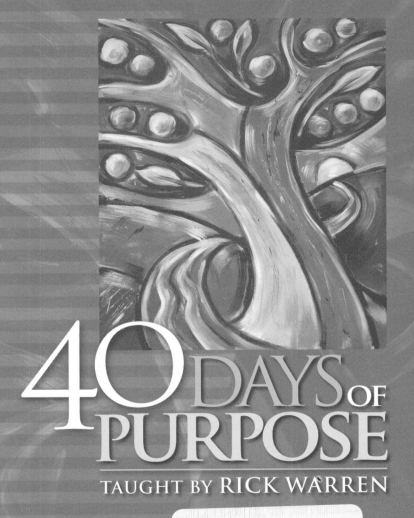

40DAYS OF
PURPOSE

TAUGHT BY RICK WARREN

Published by Purpose Driven Publishing.
20 Empire
Lake Forest, CA 92630
Edition 4.0

TABLE OF CONTENTS

UNDERSTANDING YOUR STUDY GUIDE

You are about to embark on a life-changing experience in your small group. Studying God's Word together always impacts our lives in powerful ways. One of the unique features of this curriculum is that it uses God's five purposes for your life as the format for each session. These purposes, as found in *The Purpose Driven Life*, are Fellowship (Connect), Discipleship (Grow), Ministry (Serve), Evangelism (Share), and Worship. When you see the following symbols and elements in the study guide, you will know the particular purpose that section promotes.

These sessions are formatted to last ninety minutes. The format of each session is as follows:

Connect (Fellowship) — Intimate connection with God and his family is the foundation for spiritual growth. This section will help you get to know the members of your group. It will also give you the opportunity to check your progress from week to week.

Grow (Discipleship) — This section is made up of three components:

1) A weekly Bible memory verse that fits the theme of the session. While this may be a challenge for some people in your group, we encourage you to take this opportunity to grow deeper in your walk with God through this key spiritual habit.

2) A weekly video teaching session by Pastor Rick Warren. Follow along using the outline in this study guide.

3) Discussion questions designed to facilitate a deeper understanding of the Bible and to help you consider how the truths of Scripture can impact your life.

Serve (Ministry) — Nothing is more fulfilling than using your God-given gifts to serve the needs of others in God's family. This section will help your group discover how you can serve each other and your church together.

Share (Evangelism) — God wants to use your small group to reach your community for Christ. The Share section is designed to give you and your group practical suggestions and exercises for sharing the love of Christ with others.

Worship — In each small group session you will have the opportunity to surrender your hearts to God and express your worship to him. In this section you will be led in various forms of small group worship including prayer, Scripture reading, singing together, and sharing what God is doing in your lives. This portion of your session can be very meaningful for your group.

Additional Study: If your group has the time for a little more Bible study, we have provided two or three additional questions for discussion in each session.

Preparation for Next Time: This optional section is for individuals or groups who are willing to do more study during the week. This section generally includes cross-references, questions, and practical ideas relevant to the subject you will study in the coming week.

Daily Reading Plan: *The Purpose Driven Life* by Pastor Rick Warren parallels the weekly lessons in this study guide. The book is a powerful way to go deeper in your understanding and commitment to God's purposes for your life. If everyone follows the daily reading plan, it will greatly enhance your small group experience.

Host Tips: These brief instructions in gray type are helpful coaching hints for your group host. Here's your first tip:

HOST TIP: THE STUDY GUIDE MATERIAL IS MEANT TO BE YOUR SERVANT, NOT YOUR MASTER. SO PLEASE DON'T FEEL YOU HAVE TO ANSWER EVERY QUESTION IN EVERY SECTION. THE POINT IS NOT TO RACE THROUGH THE SESSION; THE POINT IS TO TAKE TIME TO LET GOD WORK IN YOUR LIVES. NOR IS IT NECESSARY TO "GO AROUND THE CIRCLE" BEFORE YOU MOVE ON TO THE NEXT QUESTION. GIVE PEOPLE THE FREEDOM TO SPEAK, BUT DON'T INSIST THAT THEY DO. YOUR GROUP WILL ENJOY DEEPER, MORE OPEN SHARING AND DISCUSSION IF PEOPLE DON'T FEEL PRESSURED TO SPEAK UP. IF YOUR GROUP IS UNABLE TO WORK THROUGH ALL THE MATERIAL IN A SESSION, WE HAVE RECOMMENDED ONE QUESTION OR ACTIVITY WITH AN ASTERISK (*) IN EACH SECTION OF THE STUDY.

How to Use This Video Curriculum

Here is a brief explanation of the features on your small group DVD or VHS. These features include six *Helps for Hosts* and six *Video Teaching Sessions*. Here's how they work:

Helps for Hosts are special video messages just for group hosts. They provide brief video instructions that will help the host prepare for each week's small group session. The group host should watch these features before the group arrives for each study.

The *Video Teaching Sessions* provide your group with the teaching for each week of the study. Watch these features with your group. After watching the video teaching, continue in your study by working through the discussion questions and activities in the study guide.

Follow these simple steps for a successful small group session:

1. Hosts: Before your group arrives, watch the *Helps for Hosts* feature for that session. This brief video message will help you prepare for your small group study.

2. Group: Open your group meeting by using the Connect section in your study guide.

3. Group: Watch Pastor Rick Warren's video teaching and follow along with the outlines in the study guide.

4. Group: Complete the rest of the discussion materials for each session in the study guide.

It's just that simple. Have a great study together!

Note about Cover Illustration:

We would like to give special thanks to Tom Clark of Capistrano Beach, California, for permitting us to use his painting, "Tree of Life," as the cover art for this edition of *40 Days of Purpose*. The painting was inspired by the Apostle John's vision in the Book of Revelation:

Then the angel showed me the river of the water of life, as clear as crystal,
flowing from the throne of God and of the Lamb down the middle of the great street of the city.
On each side of the river stood the tree of life,
bearing twelve crops of fruit, yielding its fruit every month.
And the leaves of the tree are for the healing of the nations.

Revelation 22:1–2 (NIV)

SESSION ONE:
WHAT ON EARTH AM I HERE FOR?

HOST TIP: IF YOUR GROUP IS UNABLE TO WORK THROUGH THE ENTIRE CURRICULUM, WE HAVE RECOMMENDED ONE QUESTION OR ACTIVITY WITH AN ASTERISK (*) IN EACH SECTION OF THE STUDY.

*If you want to know why you were placed on this planet,
you must begin with God. You were born by his purpose and for his purpose.*
Rick Warren, *The Purpose Driven Life* (page 17)

CONNECT . . . . .15 Minutes

1. If your group is new or you have any new members, take a few minutes to introduce yourselves. Briefly share how you came to be a part of this small group.

*2. What is one thing you hope God will do in your life as a result of *40 Days of Purpose*?

GROW . . . . .35–40 Minutes

Memory Verse
*For we are God's workmanship, created in Christ Jesus to do good works,
which God prepared in advance for us to do.*
Ephesians 2:10 (NIV)

Watch the video lesson now and follow along in your outline.

I. The Consequences of Not Knowing Your Purpose

1. Without knowing your purpose, life will seem _tiresome_.

> [5]*The sun still rises and it still goes down . . .* [6]*the wind blows . . . round and round and back again.* [7]*Every river flows into the sea . . . [then] the water returns to where the rivers began, and starts all over again.* [8]*Everything leads to weariness . . .*
> (Ecclesiastes 1:5–8 TEV)

2. Without knowing your purpose, life will seem _unfulfilling_.

> [8]*No matter how much we see, we're never satisfied; no matter how much we hear, we are not content.* [9a]*History merely repeats itself. Nothing is truly new . . .*
> (Ecclesiastes 1:8b–9a LB)

3. Without knowing your purpose, life will seem _uncontrollable_

> *You can't straighten out what is crooked; you can't count things that aren't there.*
> (Ecclesiastes 1:15 TEV)

II. The Benefits of Knowing Your Purpose

> [12]*I keep working toward that day when I will finally be all that Christ Jesus saved me for and wants me to be.* [13]*No, dear brothers and sisters, I am still not all I should be, but I am focusing all my energies on this one thing: Forgetting the past and looking forward to what lies ahead,* [14]*I strain to reach the end of the race and receive the prize for which God, through Christ Jesus, is calling us up to heaven.*
> (Philippians 3:12b–14 NLT)

1. Knowing the purpose of your life will give your life _Focus_.

> *. . . I am focusing all my energies on this one thing . . .* (Philippians 3:13 NLT)

2. **Knowing the purpose of your life will** _Simply_
    your life.

    . . . forgetting the past and looking forward to what lies ahead.
    (Philippians 3:13 NLT)

3. **Knowing the purpose of your life will increase your** _motivation_
    in life.

    I strain to reach the end of the race . . . (Philippians 3:14 NLT)

    "For I know the plans I have for you," says the Lord. "They are plans for good and not for evil, to give you a future and a hope." (Jeremiah 29:11 LB)

4. **Knowing the purpose of your life will prepare you for** _Eternity_.

    . . . receive the prize for which God, through Christ Jesus, is calling us up to heaven.
    (Philippians 3:14 NLT)

    He has also set eternity in the hearts of men . . . (Ecclesiastes 3:11b NIV)

Discussion Questions

*1. Read this week's memory verse again: *For we are God's workmanship, created in Christ Jesus to do good works, which God prepared in advance for us to do* (Ephesians 2:10). What does this verse tell you about God's purpose for your life? Do you believe it's true? If so, how should it affect the way you live?

2. Ecclesiastes 1 points out three consequences of not knowing your purpose:

   • Life will seem tiresome
   • Life will seem unfulfilling
   • Life will seem uncontrollable

   With which of these three do you most identify? Why?

3. The Apostle Paul had a clear understanding of God's purpose for his life. Even though Paul was also a tentmaker, he was able to say, "I am focusing all my energies on this one thing." If you could discover God's purpose for your life, how would it help to focus or simplify your life?

4. Ecclesiastes 3:11 says God "has set eternity in the hearts of men." What do you think that verse means? What are some practical ways we can live life here on earth in preparation for life in eternity?

HOST TIP: Depending on the size of your group, time availability, or stage of maturity, additional questions are provided at the end of this lesson for your group to study. You may want to use these questions as suggested homework each week or turn there right now for extended discussion.

SESSION ONE

 Serve . . . .**15 Minutes**

The purpose driven life cannot be lived alone. There is no such thing as a lone ranger Christian. This section of the curriculum is designed to help you live out your faith by serving your group and church.

*1. Open to the *Group Guidelines and Agreement* in the *Small Group Resources* section of this study guide, page 64. Take a few minutes to review these guidelines together. They will help everyone know what to expect and how to contribute to a meaningful small group time.

2. A central component of *40 Days of Purpose* is the daily reading of *The Purpose Driven Life*. Turn to the *Daily Reading Plan* on page 76, and decide as a group the date you will start reading Day 1 of the book. Then take a moment to pair up with someone in your group to be your reading partner. A little encouragement and friendly accountability can help you stay on your reading schedule. We recommend that men partner with men and women with women. Check in with each other throughout the week or at your group meetings to share what you are learning, and to encourage each other in your progress through the book.

 Share . . . .**10 Minutes**

*1. God uses other people in specific ways in each of our lives. In whose life does God want to use you? Now is a great time to consider whom you might invite to your next meeting. Turn to the *Circles of Life* diagram on page 66 of this study guide. Take a moment and ask God to bring to your mind the names of people for each category in the diagram.

2. Commit to your small group that you will invite at least one person from your *Circles of Life* diagram to your next group meeting. Prepare for growth! Surveys have found that at least half of those invited to a small group accept the invitation.

Worship . . . . .20 Minutes

HOST TIP: TO MAXIMIZE PRAYER TIME AND ALLOW GREATER OPPORTUNITY FOR PERSONAL SHARING, BREAK INTO SUBGROUPS OF THREE OR FOUR PEOPLE. THIS IS ESPECIALLY IMPORTANT IF YOUR GROUP HAS MORE THAN EIGHT MEMBERS.

1. Record your group's prayer requests on the *Small Group Prayer and Praise Report* on page 67 of your study guide. Keeping track of group prayer requests and answers to prayer would be a great job for someone in your group. Any volunteers?

*2. Pray for each other's prayer requests. Remember to pray for the people you want to invite to your next group meeting. If you have never prayed out loud in a group, you might simply pray a single sentence prayer, like, "Thank you, God, for creating me for a purpose." That's all you need to say. It doesn't have to be anything fancy or theologically profound, but your prayer will be meaningful to you and to the rest of your group.

Before You Leave

1. Turn to the *Small Group Calendar* in the *Small Group Resources* section of your study guide, page 69. Healthy groups share responsibilities and group ownership. Fill out the calendar together, at least for next week, noting where you will meet each week, who will facilitate your meeting, and who will provide a meal or snack. Note special events, socials, or days off as well. Your group host will be very appreciative and everyone will have a lot more fun together. This would be a great role for someone to coordinate for the group.

2. Also, start collecting basic contact information like phone numbers and e-mail addresses. The *Group Roster* on the inside front cover of your study guide is a good place to keep this information. Pass the study guides in a circle to ensure everyone gets the information first hand.

Additional Study

This week we looked at the lives of two prominent people: King Solomon, the wisest man who ever lived; and the Apostle Paul, who wrote much of the New Testament. Solomon learned firsthand that all we experience in life is meaningless when we live without an eternal perspective. On the other hand, Paul was clearly focused on eternity from the moment of his calling. Let's consider some of the final words of these two great men of the Bible.

1. Read Ecclesiastes 9:1–6 and 12:13–14. What conclusion did Solomon reach at the end of his life?

2. Read 2 Timothy 4:1–5. What does Paul tell us about the lessons he learned in life?

*3. According to 2 Timothy 4:6–8, what was Paul's conclusion about his life as he looked back at his past and then forward to his future?

4. What do you learn from Solomon and Paul that could help you in your life?

Preparation for Next Time

*1. In order to get the most from this study, we strongly recommend that you follow the *Daily Reading Plan* on page 76 and read a chapter a day from *The Purpose Driven Life* (Days 1–7). You may want to write your responses, reflections, or requests to God in a journal.

2. Be sure to call one of the friends you prayed for in the group this week and invite him or her to join your small group. Offer to pick him or her up and be sure to get each person a study guide before the meeting.

3. Work on this week's memory verse and be prepared to share it with someone at the next meeting. The memory verses are also included on page 75 in the *Small Group Resources* section. A simple way to memorize Scripture is to hand-write the verse five to eight times on a piece of paper. Memorizing Scripture will help build your faith and grow your confidence in God.

NOTES

SESSION TWO:
WORSHIP—YOU WERE PLANNED FOR GOD'S PLEASURE

SESSION TWO: WORSHIP

God did not need to create you, but he chose to create you for his own enjoyment.
You exist for his benefit, his glory, his purpose, and his delight.
Rick Warren, *The Purpose Driven Life* (page 63)

CONNECT . . . . .10 Minutes

*1. How did you picture God when you were growing up?

2. Most people want to live a healthy, balanced life. A regular medical check-up is a good way to measure health and spot potential problems. In the same way, a spiritual check-up is vital to your spiritual well-being. The *Purpose Driven Health Assessment* was designed to give you a quick snapshot or pulse of your spiritual health. Take three to four minutes alone to complete the *Purpose Driven Health Assessment*, found on page 70 of your study guide. After answering each question, tally your results. Then, pair up with another person (preferably your reading partner), and briefly share one purpose that is going well and one that needs a little work.

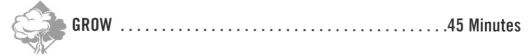

GROW . . . . .45 Minutes

Memory Verse
Love the Lord your God with all your heart and with all your soul and
with all your mind and with all your strength.
Mark 12:30 (NIV)

Watch the video lesson now and follow along in
your outline.

I. How Do We Live a Lifestyle of Worship?

*¹Therefore, I urge you, brothers, in view of God's mercy, to offer your bodies as living
sacrifices, holy and pleasing to God—this is your spiritual act of worship. ²Do not
conform any longer to the pattern of this world, but be transformed by the renewing of
your mind. Then you will be able to test and approve what God's will is—his good,
pleasing and perfect will. (Romans 12:1–2 NIV)*

1. The Principle of _Dedication_ **.** (Verse 1)

- Worship is _voluntary_ dedication of your life to God.

     We live for God not out of _obligation_, but out of _gratitude_

- Worship is _Practical_ dedication of your life to God.

     *¹⁹Haven't you yet learned that your body is the home of the Holy Spirit God
     gave you, and that he lives within you? Your own body does not belong to you.
     ²⁰For God has bought you with a great price. So use every part of your body to
     give glory back to God, because he owns it. (1 Corinthians 6:19–20 LB)*

- Worship is _Complete_ dedication of your life to God.

2. **The Principle of** _insulation_ . (Verse 2a)

   Don't let the world squeeze you into its mold. (Romans 12:2 PH)

3. **The Principle of** _Transformation_ . (Verse 2b)

   ⁸I always keep the Lord in front of me. When he is by my side, I cannot be moved. ⁹That is why my heart is glad and my soul rejoices. My body rests securely. (Psalm 16:8–9 GWT)

II. *Three Reasons We Should Live for God's Pleasure*

1. **Living a life of worship is God's** _Good Will_ **for you.**

   We know that God causes everything to work together for the good of those who love God and are called according to his purpose for them. (Romans 8:28 NLT)

2. **Living a life of worship is God's** _Pleasing Will_ **for you.**

   I know the plans I have for you . . . plans for good, not for evil, to give you a future and a hope. (Jeremiah 29:11 LB)

3. **Living a life of worship is God's** _Perfect Will_ **for you.**

Discussion Questions

*1. What is the relationship between worship and God's will?

2. When you hear the word "worship," what is the first thing that comes to your mind? Have someone read aloud Romans 12:1. How does this verse define worship?

3. The Bible says God created you so he could love you, enjoy you, and adopt you into his family. Stop and ponder that statement for a moment. How does that make you feel? Is it consistent with your view of God?

4. This week's memory verse is Mark 12:30—*Love the Lord your God with all your heart and with all your soul and with all your mind and with all your strength.* According to this verse, what is God's greatest priority for your life? How does this compare to what you see in your own life?

Serve . . . . .10 Minutes

*1. In Mark 12:30–31, Jesus said the two greatest commands are to love God and love your neighbor. How does living a life of worship (loving God) help you love the people around you?

Share . . . . .10 Minutes

*1. Romans 12:2 says we should not conform to the values of the world in which we live. How can we reach out to people who do not follow Christ without being squeezed into the world's mold? How can we insulate ourselves without isolating ourselves?

Worship . . . . .15 Minutes

> HOST TIP: To maximize prayer time and allow greater opportunity for personal sharing, break into subgroups of three or four people. This is especially important if your group has more than eight members.

This week we have learned about dedicating our lives completely to God as living sacrifices. There is no greater expression of worship.

*1. If you haven't already done so, take the next ten minutes to watch Pastor Rick's video segment, "How to Become a Follower of Christ?" You'll find it on the DVD or VHS immediately following this week's video lesson. If anyone in the group prayed for the first time to receive Christ, be sure to tell the rest of your group, and let them celebrate your decision with you.

2. Begin your prayer time by offering short, one-sentence prayers of thanksgiving to God for his blessings in your life. For instance, you might say, "Thank you for my spouse," or "Thank you for my health," or "Thank you for providing for my family," etc.

3. Are there any barriers keeping you from dedicating your whole life to God? Ask God to show you any areas of your life that you need to surrender to him. Ask him to give you the courage and willingness to place yourself completely in his hands.

4. Pray for your group's prayer requests. Be sure to record their requests on the *Small Group Prayer and Praise Report* on page 67.

Additional Study

*1. Review Romans 12:1–2. What does it mean to offer your body to God as a living sacrifice, and what are the benefits of doing so? What would our lives look like if we truly lived this way?

2. How is living the life described by Paul a demonstration of worship for God?

3. Read Psalm 16:8–9. What are some practical ways you can always keep the Lord in front of you this week?

Preparation for Next Time

*1. Continue to follow the *Daily Reading Plan* on page 76, and read a chapter a day from *The Purpose Driven Life* (Days 8–14). If you get behind, don't be discouraged; just keep moving through the days, asking God to show you what he desires for you to see each day. We recommend writing down your thoughts and direction from the Lord as you go. Commit to answering the question, taking the step, or praying the prayer at the end of each chapter. Let this become a meaningful time of reflection when God can speak his purposes and thoughts into your life.

2. Read 1 Corinthians 12:12–26 and Ephesians 4:11–16. What do we learn from these passages about how the body of Christ is to function?

3. Continue to pray for the friends you wanted to invite the first week. Be sure to call and invite them again. You never know: this may be the most important call they receive all year.

4. Pray for the group members' needs you wrote down on the prayer and praise list.

SESSION THREE:
FELLOWSHIP—YOU WERE FORMED FOR GOD'S FAMILY

SESSION THREE: FELLOWSHIP

HOST TIP: IF YOUR GROUP IS UNABLE TO WORK THROUGH THE ENTIRE CURRICULUM, WE HAVE RECOMMENDED ONE QUESTION OR ACTIVITY WITH AN ASTERISK (*) IN EACH SECTION OF THE STUDY.

*When we place our faith in Christ, God becomes our Father,
we become his children, other believers become our brothers and sisters,
and the church becomes our spiritual family.*
Rick Warren, *Purpose Driven Life* (page 118)

CONNECT . . . . .15 Minutes

1. Describe the best friend you ever had. What made that friendship meaningful?

*2. As you think about your church or small group, what qualities give it a sense of family?

GROW . . . . .45 Minutes

Memory Verse
*So in Christ we who are many form one body,
and each member belongs to all the others.*
Romans 12:5 (NIV)

Watch the video lesson now and follow along in your outline.

You Were Formed for God's Family

I am writing these things to you . . . [so] you will know how to live in the family of God. That family is the church of the living God . . . (1 Timothy 3:14–15 NCV)

I. Five Building Blocks for Fellowship

⁹Love must be sincere. Hate what is evil; cling to what is good. ¹⁰Be devoted to one another in brotherly love. Honor one another above yourselves. ¹¹Never be lacking in zeal, but keep your spiritual fervor, serving the Lord. ¹²Be joyful in hope, patient in affliction, faithful in prayer. ¹³Share with God's people who are in need. Practice hospitality. ¹⁴Bless those who persecute you; bless and do not curse. ¹⁵Rejoice with those who rejoice; mourn with those who mourn. ¹⁶Live in harmony with one another. Do not be proud, but be willing to associate with people of low position. Do not be conceited. (Romans 12:9–16 NIV)

1. **The first building block for fellowship is** _authenticity_ .
   (Verse 9)

   The word of God is full of living power. It is sharper than the sharpest knife, cutting deep into our innermost thoughts and desires. It exposes us for what we really are. (Hebrews 4:12 NLT)

2. **The second building block for fellowship is** _courtesy_ .
   (Verse 10)

   Believers shouldn't curse anyone or be quarrelsome, but they should be gentle and show courtesy to everyone. (Titus 3:2 GWT)

3. **The third building block for fellowship is** _Mutuality_ .
   (Verse 12)

   If one person falls, the other can reach out and help. But people who are alone when they fall are in real trouble. (Ecclesiastes 4:10 NLT)

   - Mutual _Encouragement_
   - Mutual _Honoring_
   - Mutual _accountability_

   Let us consider how we may spur one another on toward love and good deeds. (Hebrews 10:24 NIV)

4. **The fourth building block for fellowship is** _Hospitality_ .
   (Verse 13)

   They worshiped together regularly at the temple each day, met in small groups in homes for Communion, and shared their meals with great joy and thankfulness. (Acts 2:46 LB)

5. **The fifth building block for fellowship is** _unity_ .
   (Verse 16)

   . . . let there be real harmony so there won't be divisions in the church . . . be of one mind, united in thought and purpose. (1 Corinthians 1:10 NLT)

   "God opposes the proud but gives grace to the humble." (James 4:6b NIV)

Discussion Questions

The Christian life involves more than believing; it also involves belonging. God wants you to be a part of his family, and to build deep, satisfying, and meaningful relationships with others.

1. Read 1 Timothy 3:14–15. In the Bible, the church is described as a family. What characteristics of healthy families would be true of healthy churches or small groups?

2. The Bible says in Ecclesiastes 4:10, "If one person falls, the other can reach out and help. But people who are alone when they fall are in real trouble." Can you share a time in your life when other believers came to your assistance, brought you comfort, or met a need?

*3. In this session you learned about five building blocks for true fellowship. Which of these is a strength of your group or your church? Which one do you personally find most challenging?

4. Read 1 Thessalonians 5:11, Hebrews 3:13, and Hebrews 10:25. What are some of the practical benefits of encouragement listed in these verses? Who has served as a source of encouragement in your life?

HOST TIP: Depending on the size of your group, time availability, or stage of maturity, additional questions are provided at the end of this lesson for your group to study. You may want to use these questions as suggested homework each week or turn there right now for extended discussion.

Serve . . . . .15 Minutes

HOST TIP: THERE ARE NO SHARE QUESTIONS IN THIS SESSION. WE WANT YOU TO FOCUS ON THE SERVE SECTION OF YOUR STUDY.

*1. When Pastor Rick discussed mutual accountability, he encouraged each of you to get a spiritual partner in your group. If you already have a partner for reading *The Purpose Driven Life*, that person could become your spiritual partner as well.

Call or meet this week with your spiritual partner to pray for each other and encourage one another in your spiritual growth. You could meet a few minutes before or after a church service, or take a few minutes of group time to check in with your spiritual partner.

2. As a way to affirm and encourage one another, take a few minutes to do the "hot seat" exercise. Select an individual in your group and write his or her name at the top of a piece of paper. Then pass the paper around the room and have each group member write one thing they appreciate about the person in the "hot seat." Only a phrase or one sentence is needed. When the sheet has been passed all the way around, have one group member read it aloud to the individual.

Worship . . . . .15 Minutes

HOST TIP: TO MAXIMIZE PRAYER TIME AND ALLOW GREATER OPPORTUNITY FOR PERSONAL SHARING, BREAK INTO SUBGROUPS OF THREE OR FOUR PEOPLE. THIS IS ESPECIALLY IMPORTANT IF YOUR GROUP HAS MORE THAN EIGHT MEMBERS.

*1. Spend time praying together that your small group will be a place where: everyone is able to share their true feelings (authenticity); differences are respected (courtesy); everyone is encouraged to grow spiritually (mutuality); you spend time getting to know each other (hospitality); and you find support and acceptance, despite your weaknesses (unity). Don't be afraid to confess your weaknesses or struggles in the areas mentioned above.

2. Pray for each other's prayer requests, and be sure to record your requests in the *Small Group Prayer and Praise Report* on page 67 of your study guide.

Before You Leave

Plan a time in the next three to four weeks for your group to get together just for the purpose of fellowship. Get out your calendars and pick the date. This could be a party, picnic, movie night at someone's house, or something as simple as having a meal together before your group meeting.

Additional Study

True meaningful fellowship with God's people begins in our relationship with Jesus Christ. We must know him first and then learn how he wants us to relate to other believers. The Scriptures tell us about this important aspect of our Christian life.

*1. In Acts 2:42–47 and Acts 4:32–37 we see examples of the true fellowship of the early church. What principles can we learn from these verses?

2. What are some things that can prevent true fellowship from happening in your life, small group, or church?

3. Read 1 Corinthians 1:10. What does it mean for believers to be of "one mind"? What is the distinction between unity and uniformity?

4. Read James 4:6. In your opinion, why is pride spoken against so harshly?

5. What explanation does John give us about our responsibility to love our fellow believers in 1 John 3:14–18?

Preparation for Next Time

*1. Continue to follow the *Daily Reading Plan* on page 76 and read a chapter each day from *The Purpose Driven Life* (Days 15–21).

2. Read, reflect, and meditate on Romans 8:28–38 this week.

3. Read John 15:1–8. What lessons can we learn about our spiritual growth from this passage? When have you felt most connected to the vine?

4. Work on the memory verses and review them with a family member or friend.

Jan + Nick
Bob's Son in law

SESSION FOUR:
DISCIPLESHIP—YOU WERE CREATED TO BECOME LIKE CHRIST

HOST TIP: IF YOUR GROUP IS UNABLE TO WORK THROUGH THE ENTIRE CURRICULUM, WE HAVE RECOMMENDED ONE QUESTION OR ACTIVITY WITH AN ASTERISK (*) IN EACH SECTION OF THE STUDY.

*God's ultimate goal for your life on earth is not comfort,
but character development. He wants you to grow up spiritually and become like Christ.*
Rick Warren, *The Purpose Driven Life* (page 173)

Connect . . . . .10 Minutes

*1. Who did you want to be like when you were a kid?

2. Break into groups of two or three people and share one thing you have learned so far in this series and one thing you feel God is leading you to do.

Grow . . . . .45 Minutes

Memory Verse
Your attitude should be the same as that of Christ Jesus . . .
Philippians 2:5 (NIV)

Watch the video lesson now and follow along in your outline.

[12] *. . . continue to* (work out) *your salvation with fear and trembling,* [13] *for it is God who works in you to will and to act according to his good purpose.* (Philippians 2:12–13 NIV)

- "Working out" is ___*your*___ part.
- "Working in" is ___*God's*___ part.

I. Three Tools God Uses to Make You Like Jesus

1. **The first tool God uses to make you like Jesus is the** ___*Bible*___.

   [16] *The whole Bible was given to us by inspiration from God and is useful to teach us what is true and to make us realize what is wrong in our lives; it straightens us out and helps us do what is right.* [17] *It is God's way of making us well prepared at every point . . .* (2 Timothy 3:16–17 LB)

   Faith comes by hearing, and hearing by the Word of God. (Romans 10:17 NKJV)

   God's will is always ___*found*___ in God's Word.

   God's will never ___*Contradicts*___ God's Word.

2. **The second tool God uses to make you like Jesus is the power of his** ___*Holy Spirit*___.

   God's divine power has given us everything we need for life and godliness. (2 Peter 1:3a GWT)

   . . . as the Spirit of the Lord works within us, we become more and more like him. (2 Corinthians 3:18 LB)

3. **The third tool God uses to make you like Jesus is** ___*Circumstances*___

   [28] *We know that God causes everything to work together for the good of those who love God and are called according to his purpose for them.* [29] *For God chose them to become like his Son . . .* (Romans 8:28–29 NLT)

II. Three Choices That Will Help You Become More Like Jesus

1. **You can choose** _What you think about._ .

   Be careful how you think; your life is shaped by your thoughts. (Proverbs 4:23 TEV)

   There must be a spiritual renewal of your thoughts and attitudes.
   (Ephesians 4:23 NLT)

   ⁹How can a young man keep his ways pure? By living according to your word. ¹⁰I seek you with all my heart; do not let me stray from your commands. ¹¹I have hidden your word in my heart that I might not sin against you.
   (Psalm 119:9–11 NIV)

2. **You can choose to** _Depend_ **on God's Spirit moment by moment.**

   ⁴Take care to live in me and let me live in you. For a branch can't produce fruit when severed from the vine. Nor can you be fruitful apart from me . . . ⁵I am the vine; you are the branches. Whoever lives in me and I in him shall produce a large crop of fruit. (John 15:4–5 LB) *Pray*

3. **You can choose to** _Respond_ **to circumstances the way Jesus would.**

   ²When all kinds of trials crowd into your lives don't resent them as intruders but welcome them as friends. ³Realize that they come to test your faith and produce in you the quality of endurance. ⁴But let the process go on until that endurance is fully developed and you become people of mature character, people of integrity, with no weak spots. (James 1:2–4 PH)

Discussion Questions

1. Some people have thought Paul's reference in Philippians 2:12 to working out our salvation means that we have to earn our salvation. What does Ephesians 2:8–9 have to say about this?

2. "Working out" your salvation can be compared to a physical workout. Your workout is to develop what you already possess. In what ways is discipleship like a physical workout?

3. Read 2 Timothy 3:16–17. Paul says the Bible is "useful." In what ways have you found the Bible "useful" in your life? What keeps the Bible from being more useful in your life?

*4. Read Romans 8:28 and James 1:2–4. How has God used circumstances and trials in your life to bring growth and Christ-likeness?

HOST TIP: Depending on the size of your group, time availability, or stage of maturity, additional questions are provided at the end of this lesson for your group to study. You may want to use these questions as suggested homework each week or turn there right now for extended discussion.

Serve .... 10 Minutes

*1. How can your personal circumstances and life experiences be opportunities for you to serve God and others?

2. Pair up with a spiritual partner and turn to the *Purpose Driven Health Plan* on page 72 in the *Small Group Resources* section. Select one purpose in which you need to grow and write down one action step that you could take this week to grow in that purpose.

Share .... 15 Minutes

*1. How is God using the Bible, the power of the Holy Spirit, and circumstances in your life to help you reach out to your friends and family for Christ?

Worship . . . . .15 Minutes

> HOST TIP: TO MAXIMIZE PRAYER TIME AND ALLOW GREATER OPPORTUNITY FOR PERSONAL SHARING, BREAK INTO SUBGROUPS OF THREE OR FOUR PEOPLE. THIS IS ESPECIALLY IMPORTANT IF YOUR GROUP HAS MORE THAN EIGHT MEMBERS.

*1. Take some time as a group to thank and praise God for his provision of salvation and his work in transforming us to be like Jesus Christ. Use short, one-sentence prayers to give everyone a chance to praise the Lord. You may pray several times, but keep your prayers short. You can begin by saying, "Father, I thank you for . . . ," or, "Jesus, you have given us . . ."

2. In today's lesson we learned that your prayer life is an indicator of whether or not you are depending on God. What are you holding on to that you need to turn over to God and trust him to handle? Spend some time praying for each other about these issues.

Additional Study

God created us to become like Christ. He has given us his Word, his Holy Spirit, and custom-made circumstances to help us grow. Let's look further at some verses that confirm the truths of this lesson and challenge us to take responsibility for our part in this process.

*1. What truths do we learn about our responsibility in the process of spiritual growth in Ephesians 4:22–24?

2. According to Romans 10:17, how is our faith affected by the Word of God?

3. What encouragement does Romans 8:11 give us in our spiritual growth?

4. What good news do we see in 2 Corinthians 3:18 regarding God's work in us?

Preparation for Next Time

*1. Continue to follow the *Daily Reading Plan* on page 76 and read a chapter each day from Days 22–28.

2. Read John 13:1–17. What lessons about servanthood can you learn from this moving example from the life of Jesus?

3. Read, reflect, and meditate on Philippians 2:3–4 this week.

4. Read Luke 17:7–10. What does this passage reveal about our relationship to the master?

SESSION FIVE:
MINISTRY—YOU WERE SHAPED FOR SERVING GOD

SESSION FIVE: MINISTRY

HOST TIP: IF YOUR GROUP IS UNABLE TO WORK THROUGH THE ENTIRE CURRICULUM, WE HAVE RECOMMENDED ONE QUESTION OR ACTIVITY WITH AN ASTERISK (*) IN EACH SECTION OF THE STUDY.

You were put on earth to make a contribution.
You weren't created just to consume resources—to eat, breathe,
and take up space. God designed you to make a difference with your life.
Rick Warren, *The Purpose Driven Life* (page 227)

Connect . . . . .15 Minutes

*1. Share about a time when someone was kind to you in an unexpected way.

2. In this week's session you will meet a man whose travel plans were drastically interrupted. Can you share a time when a trip you took didn't go exactly as planned?

Grow . . . . .45 Minutes

Memory Verse
Each one should use whatever gift he has received to serve others . . .
1 Peter 4:10 (NIV)

Watch the video lesson now and follow along in your outline.

³⁰*Jesus answered, "There was once a man who was going down from Jerusalem to Jericho when robbers attacked him, stripped him, and beat him up, leaving him half dead.* ³¹*It so happened that a priest was going down that road; but when he saw the man, he walked on by on the other side.* ³²*In the same way a Levite also came there, went over and looked at the man, and then walked on by on the other side.* ³³*But a Samaritan who was traveling that way came upon the man, and when he saw him, his heart was filled with pity.* ³⁴*He went over to him, poured oil and wine on his wounds and bandaged them; then he put the man on his own animal and took him to an inn, where he took care of him.* ³⁵*The next day he took out two silver coins and gave them to the innkeeper. 'Take care of him,' he told the innkeeper, 'and when I come back this way, I will pay you whatever else you spend on him.'"* ³⁶*And Jesus concluded, "In your opinion, which one of these three acted like a neighbor toward the man attacked by the robbers?"* ³⁷*The teacher of the Law answered, "The one who was kind to him." Jesus replied, "You go, then, and do the same."* (Luke 10:30–37 TEV)

I. Three Attitudes Toward People in Need

1. Keep my ___Distance___

2. Curious but ___Uninvolved___

3. Get close enough to ___Care___

41

II. Four Steps to Serving On Purpose

1. __Start Seeing_____ the needs of people around me.

   Don't think only of your own good. Think of other Christians and what is best for them. (1 Corinthians 10:24 NLT)

2. __Sympathize_____ with people's pain.

   Stoop down and reach out to those who are oppressed. Share their burdens, and so complete Christ's law. (Galatians 6:2 MSG)

   He comforts us in all our troubles so that we can comfort others. When others are troubled, we will be able to give them the same comfort God has given us. (2 Corinthians 1:4 NLT)

3. __Seize_____ the moment and meet the need.

   [27] Never walk away from someone who deserves help; your hand is God's hand for that person. [28] Don't tell your neighbor, "Maybe some other time" or, "Try me tomorrow," when the money's right there in your pocket. (Proverbs 3:27–28 MSG)

4. __Spend_____ whatever it takes.

   Therefore, as we have opportunity, let us do good to all people, especially to those who belong to the family of believers. (Galatians 6:10 NIV)

Discussion Questions

1. In your opinion, why do many people walk past opportunities to serve others?

*2. Pastor Rick said that to be a servant you must move against your fears. What personal fears keep you from serving others or meeting needs in your church family?

3. According to 2 Corinthians 1:4, God allows certain struggles and hardships in your life so you can sympathize with and minister to the same kinds of needs in other people's lives. In what ways has God comforted you that would enable you to comfort others?

HOST TIP: Depending on the size of your group, time availability, or stage of maturity, additional questions are provided at the end of this lesson for your group to study. You may want to use these questions as suggested homework each week or turn there right now for extended discussion.

Serve . . . . .20 minutes

> **HOST TIP:** THERE ARE NO **SHARE** QUESTIONS IN THIS SESSION. WE WANT YOU TO FOCUS ON THE **SERVE** SECTION OF YOUR STUDY.

1. **Personal Ministry:** Read the following two verses aloud together:

   God has made us what we are, and in our union with Christ Jesus he has created us for a life of good deeds, which he has already prepared for us to do. (Ephesians 2:10 TEV)

   He did this to prepare all God's people for the work of Christian service, in order to build up the body of Christ. (Ephesians 4:12 TEV)

   According to these verses, God has a ministry for every follower of Christ. Ministry is targeted at other believers. What practical steps can you take to discover and fulfill the personal ministry God has planned for you in your church or small group?

*2. **Group Ministry:** Take a few minutes to discuss ideas for a ministry project you can do together in your church. This could be a project at your church, or an opportunity for your group to help a family or individual in need. Select a volunteer to discuss your idea with your pastor or someone else in leadership at your church.

Worship . . . . .15 minutes

HOST TIP: TO MAXIMIZE PRAYER TIME AND ALLOW GREATER OPPORTUNITY FOR PERSONAL SHARING, BREAK INTO SUBGROUPS OF THREE OR FOUR PEOPLE. THIS IS ESPECIALLY IMPORTANT IF YOUR GROUP HAS MORE THAN EIGHT MEMBERS.

1. Begin your worship time by thanking God for not passing you by in your time of need.

2. Ask God to help you slow down and see the needs of people around you. Ask him to help you care about what he cares about, and to give you a heart that is willing to reach out to people in need.

*3. Pray that God will help each of you fulfill your personal ministries; and pray that God will direct your group to the ministry project he wants you to do together.

Before You Leave

1. There is just one session left in the *40 Days of Purpose*. You need to start talking now about what your group will study next. We invite you to visit our website at **www.purposedrivenlife.com**, where you will find more video-based studies for your small group, as well as studies you can use to start groups with nonbelievers at work, on campus, or in your neighborhood. You can also sign up for our free daily devotional e-mail.

2. We also encourage you to plan a seventh session together where you can celebrate what God has done in your lives through this small group study. This should be a dinner, barbecue, or picnic where the focus is on fellowship. It can also be an excellent opportunity to invite other people who might be interested in joining your small group. So begin making plans now.

Additional Study

The Apostle Paul gives us additional insight as to how we should respond as servants.

1. Read Philippians 2:1–7. How does Paul tell us we are to imitate Christ's heart and actions as we serve the needs of others?

*2. In Philippians 2:19–30, Paul also gives us insight into the kind of servants Timothy and Epaphroditus were. What can we learn from their examples of service?

3. Why is it often difficult to show genuine concern for others and put their interests ahead of our own?

Preparation for Next Time

*1. Continue to follow *Daily Reading Plan* on page 76 and read a chapter each day from Days 29–35.

2. Read Luke 15 to discover God's heart for people who are estranged from his family.

3. Read the story of Zacchaeus in Luke 19:1–10. What principles for sharing your faith can you learn from Jesus' encounter with Zacchaeus?

4. Read 2 Corinthians 5:17–21. Why is the word picture of an ambassador (verse 20) such an appropriate image for our mission in the world?

SESSION SIX:
EVANGELISM—YOU WERE MADE FOR A MISSION

SESSION SIX: EVANGELISM

HOST TIP: IF YOUR GROUP IS UNABLE TO WORK THROUGH THE ENTIRE CURRICULUM, WE HAVE RECOMMENDED ONE QUESTION OR ACTIVITY WITH AN ASTERISK (*) IN EACH SECTION OF THE STUDY.

Jesus calls us not only to come to him,
but to go for him.
Rick Warren, *The Purpose Driven Life* (page 282)

Connect . . . . .15 Minutes

Our prayer for you as you complete this series is that you have discovered the value of a small group, and we hope you will continue meeting together.

1. This is the last lesson in this series. Be sure to take a few minutes to affirm your group leaders and thank God for them.

*2. Pair up with a person sitting beside you and share a two-minute version of your spiritual story. Share briefly about your life before Christ, how you came to Christ, and the difference he has made in your life. If you are still exploring Christianity, share your spiritual background.

Grow . . . . .45 Minutes

Memory Verse
Be wise in the way you act toward outsiders; make the most of every opportunity.
Colossians 4:5 (NIV)

Watch the video lesson now and follow along in your outline.

In the same way that you gave me a mission in the world, I give them a mission in the world. (John 17:18 MSG)

Evangelism means **Sharing good news**.

[17] *One day as he was teaching, Pharisees and religion teachers were sitting around. They had come from nearly every village in Galilee and Judea, even as far away as Jerusalem, to be there. The healing power of God was on him.* [18]*Some men arrived carrying a paraplegic on a stretcher. They were looking for a way to get into the house and set him before Jesus.* [19]*When they couldn't find a way in because of the crowd, they went up on the roof, removed some tiles, and let him down in the middle of everyone, right in front of Jesus.* [20]*Impressed by their bold belief, he said, "Friend, I forgive your sins."* [21]*That set the religion scholars and Pharisees buzzing. "Who does he think he is? That's blasphemous talk! God and only God can forgive sins."* [22]*Jesus knew exactly what they were thinking and said, "Why all this gossipy whispering?* [23]*Which is simpler: to say 'I forgive your sins,' or to say 'Get up and start walking?'* [24]*Well, just so it's clear that I'm the Son of Man and authorized to do either, or both. . . ." He now spoke directly to the paraplegic: "Get up. Take your bedroll and go home."* [25]*Without a moment's hesitation, he did it—got up, took his blanket, and left for home, giving glory to God all the way.* [26]*The people rubbed their eyes, incredulous—and then also gave glory to God. Awestruck, they said, "We've never seen anything like that!"* (Luke 5:17–26 MSG)

I. Four Keys to Fulfilling God's Mission in the World

1. **The Principle of** *Compassion*.

   We should all be concerned about our neighbor and the good things that will build his faith. (Romans 15:2 GWT)

   • Pray for God to soften *your Heart*.
   • Pray for God to give you *opportunities*.
   • Pray for God to soften *Their Hearts*.

2. **The Principle of** _Faith_ .

   [Jesus] is able, now and always, to save those who come to God through him . . .
   (Hebrews 7:25 TEV)

3. **The Principle of** _Action_ .

   *Go out into the country lanes and behind the hedges and urge anyone you find to
   come, so that the house will be full.* (Luke 14:23 NLT)

4. **The Principle of** _presistence_ .

   *The Lord is . . . not willing that any should perish, but that all should come to
   repentance.* (2 Peter 3:9 NKJV)

Bring pleasure to God through **worship**.
Experience life together through **fellowship**.
Grow spiritually to be more like Christ through **discipleship**.
Serve the needs of others through **ministry**.
Share the Good News through **evangelism**.
God wants us to not only live **purpose driven <u>lives</u>**;
He wants us to grow **purpose driven <u>churches</u>**.

Discussion Questions

Last week we looked at how God wants you to have a ministry in his church. This week, we will look at how God wants you to have a mission in the world.

1. When you hear the word "evangelism" or think about sharing your faith, what images come to mind?

2. As you reflect on the story of the paraplegic from Luke 5, what stands out to you?

*3. The four men who brought their disabled friend to Jesus were not priests or pastors; they were just friends. How comfortable are you building friendships with people who don't know Christ? What steps could you take to begin to build such friendships?

4. The physical needs of this man were obvious, but his spiritual needs were less obvious. What are some of the needs of people in your life that demonstrate a deep spiritual hunger?

5. Read Colossians 4:5 and 1 Peter 3:15. What principles can you learn about sharing Christ with others?

SESSION SIX: EVANGELISM

 **Serve** . . . .**15 minutes**

*1. How can you die to yourself and live for others in your home? In your small group? Share with your group one specific and tangible way you can battle self-interest and self-centeredness in your life this week.

 **Share** . . . .**15 minutes**

The mission Jesus Christ had on earth—to seek and save the lost—he has now given to you. Your mission is simply to pass on to others the same good news about God's love that someone shared with you.

*1. Pair up with a person in your group and share the names of one or two co-workers, friends, neighbors, or family members who don't know Christ. Then pray for the people whose names you have listed. Ask God to give you courage to initiate a spiritual conversation with them this week. Agree with your partner that you will pray for the people on each other's lists every day this week.

My List

1. _____

2. _____

My Partner's List

1. _____

2. _____

Prison Fellowship

As you pray about the kind of outreach God might want your small group to work on together, have you thought about the ways in which you can extend the love of Christ to the least and the lost? In your own community and beyond, prisoners and their children await the loving support of your church. Reaching out to them can be quite simple and enormously rewarding.

For nearly thirty years, Prison Fellowship has worked with churches just like yours to reconcile prisoners to God, their families, and their communities through the power of Jesus Christ. Across the country, thousands of church-sponsored volunteers interact with prisoners through evangelistic events, seminars, on-going Bible studies, and mentoring relationships.

Through Angel Tree®—one of Prison Fellowship's most popular ministries—volunteers introduce children of incarcerated parents to the love of Christ and the love and support of his people. Each year, around a half million children of prisoners receive the Gospel and the promise of a caring church family because of Angel Tree churches.

The Prison Fellowship Pen Pal Program is designed to reach every prisoner who longs to correspond with a Christian pen pal. Thousands of church-sponsored volunteers share hope in an envelope, offering prisoners friendship, giving them a connection with the outside, sharing God's love, and discipling those who desire to walk with Christ. Pen-pal volunteers provide precious glimpses of light in a dark and lonely place.

If you believe God is leading you to reach out to prisoners and their families, contact Prison Fellowship Ministries at **www.PrisonFellowship.org/PurposeDriven**.

Worship . . . .**20 minutes**

> **HOST TIP:** To maximize prayer time and allow greater opportunity for personal sharing, break into subgroups of three or four people. This is especially important if your group has more than eight members.

*1. Take a few minutes to celebrate what God has done in your group during your *40 Days of Purpose* study. Share what you enjoyed from the last six weeks together. What is the most important lesson you have learned? Then offer prayers of thanksgiving to God for what he has done in your life through your small group.

2. Close your time together praying these prayers for the people you named in the Share section above:

   • Ask God to soften your heart and give you a real love for people who don't know Christ.

   • Ask God to give you opportunities to invite others to your group activities, and the courage to tell them about Christ.

   • Ask God to soften their hearts and to prepare them to hear the Good News of Jesus Christ.

Has your life been impacted by this study? Pastor Rick Warren would love to hear how this series and his book, *The Purpose Driven Life*, have helped you. You can e-mail him at: **rick@purposedrivenlife.com**.

Before You Leave

1. Be sure to make plans for an evening meal or a picnic with your group to celebrate what God has done in your lives through these *40 Days of Purpose*. A party is an excellent opportunity for you to invite people who might be interested in joining your group. Talk about your celebration before you leave your meeting. Where will you have your party? When will you have it? Will it be a potluck, will someone barbeque, or will you call out for pizza? Divide up the responsibilities and then get ready to enjoy a great time of fellowship together. You deserve it!

2. Take a few minutes for an informal evaluation of your small group experience. What has been helpful to you? What has challenged you? What would make this a better experience? How do you feel about continuing on as a group? Talk about these issues and address any concerns that might be raised.

3. If you plan to stay together as a group, spend some time talking about what your group will study next. Please visit our website at **www.purposedrivenlife.com** to learn about our other video-based small group studies and to receive our free daily devotional e-mails.

Additional Study

1. Read Luke 5:27–32 and Luke 7:34. What kind of people did Jesus associate with? How accepting are you of people who are far from God?

*2. Read Luke 14:23. How different would your group or church be if you really put this verse into action?

3. What can you learn from 2 Peter 3:8–9 about patience and perseverance in reaching your friends who don't know Christ?

SMALL GROUP
RESOURCES

Helps for Hosts

Top Ten Ideas for New Hosts

Congratulations! As the host of your small group, you have responded to the call to help shepherd Jesus' flock. Few other tasks in the family of God surpass the contribution you will be making.

On the curriculum videotape or DVD, you will find *Helps for Hosts* that offer insights and coaching for facilitating each week's session. Each *Helps for Hosts* feature is three to five minutes long.

As you prepare to facilitate your group, whether it is one session or the entire series, here are a few additional thoughts to keep in mind. We encourage you to read and review these tips with each new discussion host before he or she leads.

1. **Remember you are not alone.** God knows everything about you, and he knew you would be asked to facilitate your group. Even though you may not feel ready, this is common for all good hosts. God promises, *I will never leave you; I will never abandon you.* (Hebrews 13:5 TEV) Whether you are facilitating for one evening, several weeks, or a lifetime, you will be blessed as you serve.

2. **Don't try to do it alone.** Pray right now for God to help you build a healthy team. If you can enlist a co-host to help you shepherd the group, you will find your experience much richer. This is your chance to involve as many people as you can in building a healthy group. All you have to do is ask people to help. You'll be surprised at the response.

3. **Be friendly and be yourself.** God wants to use your unique gifts and temperament. Be sure to greet people at the door with a big smile . . . this can set the mood for the whole gathering. Remember, they are taking as big a step to show up at your house as you are to host the group! Don't try to do things exactly like another host; do them in a way that fits you. Admit when you don't have an answer and apologize when you make a mistake. Your group will love you for it and you'll sleep better at night.

4. **Prepare for your meeting ahead of time.** Review the session and the video *Helps for Hosts*. Write down your responses to each question. Pay special attention to exercises that ask group members to do something other than engage in discussion. These exercises will help your group *live* what the Bible teaches, not just talk about it. Be sure you understand how an exercise works. If the exercise employs one of the items in the *Small Group Resource* section (such as the *Group Guidelines and Agreement*), be sure to look over that item so you'll know how it works.

5. **Pray for your group members by name.** Before you begin your session, take a few moments and pray for each member by name. You may want to review the prayer list at least once a week. Ask God to use your time together to touch the heart of every person in your group. Expect God to lead you to whomever he wants you to encourage or challenge in a special way. If you listen, God will surely lead.

6. **When you ask a question, be patient.** Someone will eventually respond. Sometimes people need a moment or two of silence to think about the question. If silence doesn't bother you, it won't bother anyone else. After someone responds, affirm the response with a simple "thanks" or "great answer." Then ask, "How about somebody else?" or "Would someone who hasn't shared like to add anything?" Be sensitive to new people or reluctant members who aren't ready to say, pray, or do anything. If you give them a safe setting, they will blossom over time. If someone in your group is a "wall flower" who sits silently through every session, consider talking to them privately and encouraging them to participate. Let them know how important they are to you—that they are loved and appreciated, and that the group would value their input. Remember, still water often runs deep.

7. **Provide transitions between questions.** Ask if anyone would like to read the paragraph or Bible passage. Don't call on anyone, but ask for a volunteer, and then be patient until someone begins. Be sure to thank the person who reads aloud.

8. **Break into smaller groups occasionally.** The Grow and Worship sections provide good opportunities to break into smaller circles of 3–5 people. With a greater opportunity to talk in a small circle, people will connect more with the study, apply more quickly what they're learning, and ultimately get more out of their small group experience. A small circle also encourages a quiet person to participate and tends to minimize the effects of a more vocal or dominant member.

Small circles are also helpful during prayer time. People who are unaccustomed to praying aloud will feel more comfortable trying it with just two or three others. Also, prayer requests won't take as much time, so circles will have more time to actually pray. When you gather back with the whole group, you can have one person from each circle briefly update everyone on the prayer requests from their sub-groups. The other great aspect of sub-grouping is that it fosters leadership development. As you ask people in the group to facilitate discussion or to lead a prayer circle, it gives them a small leadership step that can build their confidence.

9. **Rotate facilitators occasionally.** You may be perfectly capable of hosting each time, but you will help others grow in their faith and gifts if you give them opportunities to host the group.

10. **One final challenge.** Before your first opportunity to lead, look up each of the six passages listed below. Read each one as a devotional exercise to help prepare you with a shepherd's heart. Trust us on this one. If you do this, you will be more than ready for your first meeting.

Matthew 9:36–38 (NIV)

36When Jesus saw the crowds, he had compassion on them, because they were harassed and helpless, like sheep without a shepherd. 37Then he said to his disciples, "The harvest is plentiful but the workers are few. 38Ask the Lord of the harvest, therefore, to send out workers into his harvest field."

John 10:14–15 (NIV)

14I am the good shepherd; I know my sheep and my sheep know me—15just as the Father knows me and I know the Father—and I lay down my life for the sheep.

1 Peter 5:2–4 (NIV)

2Be shepherds of God's flock that is under your care, serving as overseers—not because you must, but because you are willing, as God wants you to be; 3not greedy for money, but eager to serve; not lording it over those entrusted to you, but being examples to the flock. 4And when the Chief Shepherd appears, you will receive the crown of glory that will never fade away.

Philippians 2:1–5 (NIV)

¹If you have any encouragement from being united with Christ, if any comfort from his love, if any fellowship with the Spirit, if any tenderness and compassion, ²then make my joy complete by being like-minded, having the same love, being one in spirit and purpose. ³Do nothing out of selfish ambition or vain conceit, but in humility consider others better than yourselves. ⁴Each of you should look not only to your own interests, but also to the interests of others. ⁵Your attitude should be the same as that of Jesus Christ.

Hebrews 10:23–25 (NIV)

²³Let us hold unswervingly to the hope we profess, for he who promised is faithful. ²⁴And let us consider how we may spur one another on toward love and good deeds. ²⁵Let us not give up meeting together, as some are in the habit of doing, but let us encourage one another—and all the more as you see the Day approaching.

1 Thessalonians 2:7–8, 11–12 (NIV)

⁷But we were gentle among you, like a mother caring for her little children. ⁸We loved you so much that we were delighted to share with you not only the gospel of God but our lives as well, because you had become so dear to us . . . ¹¹For you know that we dealt with each of you as a father deals with his own children, ¹²encouraging, comforting and urging you to live lives worthy of God, who calls you into his kingdom and glory.

Frequently Asked Questions

How long will this group meet?

This series is six weeks long, and we are encouraging groups to add one additional week for a celebration. In your final session, each group member may decide if he or she desires to continue on for another study. At that time you may also want to do some informal evaluation, discuss your *Group Guidelines and Agreement* on page 64, and decide what study you want to do next.

Who is the host?

The host is the person who coordinates and facilitates your group meetings. If you do not have a leader, take a few minutes to talk about who will be the host in your group. Then select one or more discussion leaders. This could be the same person as the host, or someone different. We recommend that you rotate the job of facilitating your discussions, creating opportunities for everyone's gifts to develop. Several other responsibilities can be rotated, including refreshments, prayer requests, worship, or keeping up with those who miss a meeting. Shared ownership in the group helps everybody grow.

Where do we find new group members for our group?

This can be an issue especially for new groups starting with just a few people, or existing groups that lose a few people along the way. All groups go through some healthy attrition as a result of moves, releasing new leaders, ministry opportunities, and so forth. If the group gets too small, it runs the risk of shutting down. We encourage you to use the *Circles of Life* diagram on page 66 to help you develop a list of people from your work, church, neighborhood, children's school, family, the gym, and so on. Then pray for the people on each member's list. Have each group member invite several people on their list. No matter how you find members, it is important to continue actively looking for new people to join your group. Remember, the next person you add just might become a friend for eternity. You never know.

How do we handle the childcare needs in our group?

This is a sensitive issue in groups. We suggest you seek creative solutions as a group. One common solution is to meet in the living room with the adults and share the cost of a babysitter (or two) who can be with the kids in another part of the house. Another popular option is to have one home for the kids and a second home (close by) for the adults. If desired, the adults could rotate the responsibility of providing a lesson for the kids. This last option is great with school age kids and can be a huge blessing to families.

Session Guidelines for Discussion Leaders

Here you will find the key ideas, experiences, or commitments in each session. This is what we are hoping God will do as you study, talk, and pray together. Have the leader review this plan before each session.

Session 1: What On Earth Am I Here For?
- As a group, review and sign the *Group Guidelines and Agreement* on page 64.
- Look at the consequences of not knowing your purpose.
- Discover the benefits of knowing your purpose and living a purpose driven life.

Session 2: Worship—You Were Planned for God's Pleasure
- Understand how to live a life that pleases God.
- Clarify why we should live for God's pleasure.
- Dedicate our lives completely to God.

Session 3: Fellowship—You Were Formed for God's Family
- Pair up with a spiritual partner to encourage you in your spiritual growth.
- Discover the kind of relationships that provide deep and meaningful fellowship with others.
- Plan the next step you can take to grow in your fellowship.

Session 4: Discipleship—You Were Created to Become Like Christ
- Understand God's part in bringing us to spiritual maturity.
- Realize our responsibility in the process of growth.
- See opportunities to serve others and share Christ in the midst of our circumstances.

Session 5: Ministry—You Were Shaped for Serving God
- Understand the "Four Steps to Serving on Purpose."
- Commit as individuals to get involved in a ministry in your church.
- Consider a need your group can meet together within the church.

Session 6: Evangelism—You Were Made for a Mission
- Learn the "Four Keys to Fulfilling God's Mission in the World."
- Discuss the future of your group.
- Plan a party to celebrate what God has done through this series.

Group Guidelines and Agreement

It's a good idea for every group to put words to their shared values, expectations, and commitments. Such guidelines will help you avoid unspoken agendas and unmet expectations. We recommend you discuss your guidelines during Session One in order to lay the foundation for a healthy group experience. Feel free to modify anything that does not work for your group.

We agree to the following values:

Clear Purpose	To grow healthy spiritual lives by building a healthy small group community
Group Attendance	To give priority to the group meeting (call if I am absent or late)
Safe Environment	To create a safe place where people can be heard and feel loved (no quick answers, snap judgments, or simple fixes)
Be Confidential	To keep anything that is shared strictly confidential and within the group
Conflict Resolution	To avoid gossip and to immediately resolve any concerns by following the principles of Matthew 18:15–17
Spiritual Health	To give group members permission to speak into my life and help me live a healthy, balanced spiritual life that is pleasing to God
Limit Our Freedom	To limit our freedom by not serving or consuming alcohol during small group meetings or events so as to avoid causing a weaker brother or sister to stumble (1 Corinthians 8:1–13; Romans 14:19–21)

GROUP GUIDELINES AND AGREEMENT

Welcome Newcomers To invite friends who might benefit from this study and warmly welcome newcomers

Building Relationships To get to know the other members of the group and pray for them regularly

Other _____

We have also discussed and agree on the following items:

Child Care

_____

_____

Starting Time

_____

Ending Time

_____

If you haven't already done so, take a few minutes to fill out the *Small Group Calendar* on page 69.

Circles of Life—Small Group Connections

Discover who you can connect in community

Use this chart to help carry out one of the values in the *Group Guidelines and Agreement,* to "Welcome Newcomers."

Come follow me . . . and I will make you fishers of men.
Matthew 4:19 (NIV)

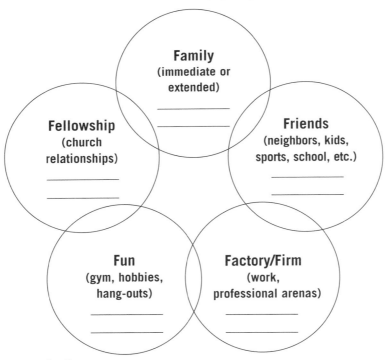

Follow this simple three-step process:

1. List one to two people in each circle.

2. Prayerfully select one person or couple from your list and tell your group about them.

3. Give them a call and invite them to your next meeting. Over fifty percent of those invited to a small group say, "Yes!"

Small Group Prayer and Praise Report

This is a place where you can write each other's requests for prayer. You can also make a note when God answers a prayer. Pray for each other's requests. If you're new to group prayer, it's okay to pray silently or to pray by using just one sentence: "God, please help

_____ to __*9/5/2006*_____ ."

DATE	PERSON	PRAYER REQUEST	PRAISE REPORT
9/5			

Small Group Prayer and Praise Report

DATE	PERSON	PRAYER REQUEST	PRAISE REPORT

Small Group Calendar

Healthy groups share responsibilities and group ownership. It might take some time for this to develop. Shared ownership ensures that responsibility for the group doesn't fall to one person. Use the calendar to keep track of social events, mission projects, birthdays, or days off. Complete this calendar at your first or second meeting. Planning ahead will increase attendance and shared ownership.

DATE	LESSON	LOCATION	FACILITATOR	SNACK OR MEAL
10/22	Session 2	Steve & Laura	Bill Jones	John & Alice

PURPOSE DRIVEN HEALTH ASSESSMENT

How the Assessment Works

The *Purpose Driven Health Assessment* is designed to help you evaluate how well you are balancing the five purposes in your life, and to identify your areas of strength and weakness. The Assessment consists of 35 statements that are linked to the five purposes.

Instructions

1. Rate yourself on each of the statements using a scale from 0 to 5, with zero meaning the statement does not match you and five meaning it is a very strong match for you.

2. After you have rated each statement, tally the results by transferring your ratings for each of the statements to the scoring table on this page. Then add up the numbers in each column to find your score for each purpose.

3. Turn to the *Purpose Driven Health Plan* on page 72 for further instructions.

My Spiritual Health Assessment

WORSHIP	FELLOWSHIP	DISCIPLESHIP	MINISTRY	EVANGELISM
1. _____	2. _____	3. _____	4. _____	5. _____
6. _____	7. _____	8. _____	9. _____	10. _____
11. _____	12. _____	13. _____	14. _____	15. _____
16. _____	17. _____	18. _____	19. _____	20. _____
21. _____	22. _____	23. _____	24. _____	25. _____
26. _____	27. _____	28. _____	29. _____	30. _____
31. _____	32. _____	33. _____	34. _____	35. _____
☐	☐	☐	☐	☐

Spiritual Health Assessment

	Doesn't Match		Partial Match		Strong Match	

1. Pleasing God with my life is my highest priority. 0 1 2 3 4 5
2. I am genuinely open and honest about who I am with others. 0 1 2 3 4 5
3. I quickly confess anything in my character that does not look like Christ. 0 1 2 3 4 5
4. I often think about how to use my time more wisely to serve God. 0 1 2 3 4 5
5. I feel personal responsibility to share my faith with those who don't know Jesus. 0 1 2 3 4 5
6. I am dependent on God for every aspect of my life. 0 1 2 3 4 5
7. I regularly use my time and resources to care for the needs of others. 0 1 2 3 4 5
8. How I spend my time and money shows that I think more about God and others than I do about myself. . . 0 1 2 3 4 5
9. I am currently serving God with the gifts and passions he has given me. 0 1 2 3 4 5
10. I look for opportunities to build relationships with those who don't know Jesus. 0 1 2 3 4 5
11. There is nothing in my life that I have not surrendered to (kept back from) God. 0 1 2 3 4 5
12. I have a deep and meaningful connection with others in the church. 0 1 2 3 4 5
13. I allow God's word to guide my thoughts and change my actions. 0 1 2 3 4 5
14. I regularly reflect on how my life can have an impact for the Kingdom of God. 0 1 2 3 4 5
15. I regularly pray for those who don't know Christ. 0 1 2 3 4 5
16. I regularly meditate on God's word and invite him into my everyday activities. 0 1 2 3 4 5
17. I have an easy time allowing someone who knows me to speak truth to me. 0 1 2 3 4 5
18. I am able to praise God during difficult times and see them as opportunities to grow. 0 1 2 3 4 5
19. I often think about ways to use my God-given SHAPE to please God. 0 1 2 3 4 5
20. I am confident in my ability to share my faith. 0 1 2 3 4 5
21. I have a deep desire to be in God's presence and spend time with him. 0 1 2 3 4 5
22. I gather regularly with a group of Christians for fellowship and accountability. 0 1 2 3 4 5
23. I find I am making more choices that cause me to grow when I am tempted to do wrong. 0 1 2 3 4 5
24. I enjoy meeting the needs of others without expecting anything in return. 0 1 2 3 4 5
25. My heart is full of passion to share the good news of the gospel with those who have never heard it. 0 1 2 3 4 5
26. I am the same person at church that I am in private. 0 1 2 3 4 5
27. There is nothing in my relationships that is currently unresolved. 0 1 2 3 4 5
28. I have found that prayer has changed how I view and interact with the world. 0 1 2 3 4 5
29. Those closest to me would say my life is a reflection of giving more than receiving. 0 1 2 3 4 5
30. I find that my relationship with Jesus comes up frequently in my conversations with those who 0 1 2 3 4 5
    don't know him.
31. I have an overwhelming sense of God's awesomeness even when I do not feel his presence. 0 1 2 3 4 5
32. There is nothing in the way I talk or act concerning others that I would not be willing to share with 0 1 2 3 4 5
    them in person.
33. I am consistent in pursuing habits that are helping me model my life after Jesus. 0 1 2 3 4 5
34. I am open about my weaknesses and see them as opportunities to minister to others. 0 1 2 3 4 5
35. I am open to going anywhere God calls me in whatever capacity to share my faith. 0 1 2 3 4 5

Purpose Driven Health Plan

After completing the *Purpose Driven Health Assessment*, focus on the areas where you feel you need to plan for growth, and complete this *Purpose Driven Health Plan*. Fill in the possible ideas for developing your spiritual life in each area, then translate those possibilities into actual steps you plan to take to grow or develop in each purpose.

Purposes	Possibilities	Plans (Strategic Steps)
CONNECT (Fellowship) How can I deepen my relationships with others? • Family/friends • Relational/emotional development • Small group community		
GROW (Discipleship) How can I grow to be like Christ? • Spiritual disciplines • Financial stewardship • Character development		
SERVE (Ministry) How can I serve God and others? • Ministry to the Body • Leadership training • Continuing training		
SHARE (Evangelism) How can I share my faith regularly? • Mission to the world • Seeker friends/family, work, neighborhood involvement		
WORSHIP How can I live for God's pleasure? • Regular church attendance • Worship tapes and devotionals • Personal health and balance		

Answer Key

Session One

Without knowing your purpose, life will seem <u>TIRESOME</u>.

Without knowing your purpose, life will seem <u>UNFULFILLING</u>.

Without knowing your purpose, life will seem <u>UNCONTROLLABLE</u>.

Knowing the purpose of your life will give your life <u>FOCUS</u>.

Knowing the purpose of your life will <u>SIMPLIFY</u> your life.

Knowing the purpose of your life will increase your <u>MOTIVATION</u> in life.

Knowing the purpose of your life will prepare you for <u>ETERNITY</u>.

Session Two

The Principle of <u>DEDICATION</u>.

Worship is <u>VOLUNTARY</u> dedication of your life to God.

We live for God not out of <u>OBLIGATION</u>, but out of <u>GRATITUDE</u>.

Worship is <u>PRACTICAL</u> dedication of your life to God.

Worship is <u>COMPLETE</u> dedication of your life to God.

The Principle of <u>INSULATION</u>.

The Principle of <u>TRANSFORMATION</u>.

Living a life of worship is God's <u>GOOD WILL</u> for you.

Living a life of worship is God's <u>PLEASING WILL</u> for you.

Living a life of worship is God's <u>PERFECT WILL</u> for you.

Session Three

The first building block for fellowship is <u>AUTHENTICITY</u>.

The second building block for fellowship is <u>COURTESY</u>.

The third building block for fellowship is <u>MUTUALITY</u>.

Mutual <u>ENCOURAGEMENT</u>

Mutual <u>HONORING</u>

Mutual <u>ACCOUNTABILITY</u>

The fourth building block for fellowship is <u>HOSPITALITY</u>.

The fifth building block for fellowship is <u>UNITY</u>.

ANSWER KEY

Session Four

"Working out" is <u>YOUR</u> part.

"Working in" is <u>GOD'S</u> part.

The first tool God uses to make you like Jesus is the <u>BIBLE</u>.

God's will is always <u>FOUND</u> in God's Word.

God's will never <u>CONTRADICTS</u> God's Word.

The second tool God uses to make you like Jesus is the power of his <u>HOLY SPIRIT</u>.

The third tool God uses to make you like Jesus is <u>CIRCUMSTANCES</u>.

You can choose <u>WHAT YOU THINK ABOUT</u>.

You can choose to <u>DEPEND</u> on God's Spirit moment by moment.

You can choose to <u>RESPOND</u> to circumstances the way Jesus would.

Session Five

Keep my <u>DISTANCE</u>

Curious but <u>UNINVOLVED</u>

Get close enough to <u>CARE</u>

<u>START SEEING</u> the needs of people around me.

<u>SYMPATHIZE</u> with people's pain.

<u>SEIZE</u> the moment and meet the need.

<u>SPEND</u> whatever it takes.

Session Six

Evangelism means <u>SHARING GOOD NEWS</u>.

The Principle of <u>COMPASSION</u>.

Pray for God to soften <u>YOUR HEART</u>.

Pray for God to give you <u>OPPORTUNITIES</u>.

Pray for God to soften <u>THEIR HEARTS</u>.

The Principle of <u>FAITH</u>.

The Principle of <u>ACTION</u>.

The Principle of <u>PERSISTENCE</u>.

MEMORY VERSES

Memory Verses — One of the most effective ways to deepen our understanding of the principles we are learning in this series is to memorize key Scripture verses. For many, Bible memorization is a new concept or one that has been difficult in the past. But we encourage you to stretch yourself and try to memorize these six key verses. If possible, memorize them as a group and make them part of your group time.

I have hidden your word in my heart that I might not sin against you.
Psalm 119:11 (NIV)

Week One

For we are God's workmanship, created in Christ Jesus to do good works, which God prepared in advance for us to do.

Ephesians 2:10 (NIV)

Week Two

Love the Lord your God with all your heart and with all your soul and with all your mind and with all your strength.

Mark 12:30 (NIV)

Week Three

So in Christ we who are many form one body, and each member belongs to all the others.

Romans 12:5 (NIV)

Week Four

Your attitude should be the same as that of Christ Jesus.

Philippians 2:5 (NIV)

Week Five

Each one should use whatever gift he has received to serve others . . .

1 Peter 4:10 (NIV)

Week Six

Be wise in the way you act toward outsiders; make the most of every opportunity.

Colossians 4:5 (NIV)

DAILY READING PLAN

The Purpose Driven Life
Daily Reading Plan

WEEK 4: YOU WERE CREATED TO BECOME LIKE CHRIST (Discipleship)   D A T E

- ☐ Day 22   Created to Become Like Christ   _____
- ☐ Day 23   How We Grow   _____
- ☐ Day 24   Transformed by Truth   _____
- ☐ Day 25   Transformed by Trouble   _____
- ☐ Day 26   Growing through Temptation   _____
- ☐ Day 27   Defeating Temptation   _____
- ☐ Day 28   It Takes Time   _____

WEEK 5: YOU WERE SHAPED FOR SERVING GOD (Ministry)

- ☐ Day 29   Accepting Your Assignment   _____
- ☐ Day 30   Shaped for Serving God   _____
- ☐ Day 31   Understanding Your Shape   _____
- ☐ Day 32   Using What God Gave You   _____
- ☐ Day 33   How Real Servants Act   _____
- ☐ Day 34   Thinking Like a Servant   _____
- ☐ Day 35   God's Power in Your Weakness   _____

WEEK 6: YOU WERE MADE FOR A MISSION (Evangelism)

- ☐ Day 36   Made for a Mission   _____
- ☐ Day 37   Sharing Your Life Message   _____
- ☐ Day 38   Becoming a World-Class Christian   _____
- ☐ Day 39   Balancing Your Life   _____
- ☐ Day 40   Living with Purpose   _____

Purpose Driven Life Small Group Series is designed to lead a small group through one chapter of the book each week with a fifteen minute video lesson taught by Rick Warren. This small group study helps your group learn each of the five purposes through a time of reflection and application.

Vol. 1: What on Earth Am I Here For?
Vol. 2: You Were Planned for God's Pleasure
Vol. 3: You Were Formed for God's Family
Vol. 4: You Were Created to Become Like Christ
Vol. 5: You Were Shaped for Serving God
Vol. 6: You Were Made for a Mission

Inside Out Living — A Small Group Study from the Sermon on the Mount. "Blessed are the poor in spirit, for theirs is the kingdom of heaven." With these words, Jesus introduces a whole new way of living—inside out living! The "Sermon on the Mount" is a blueprint for building the Christian life. This video-based series shares Jesus' teachings on the Beatitudes, the Lord's Prayer, worry, forgiveness, integrity, loving our enemies, storing up treasures in heaven, and many other topics.

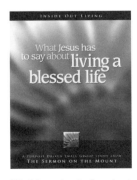

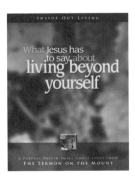

What Jesus has to Say about Living a Blessed Life

What Jesus has to Say about Living Beyond Yourself

What Jesus has to Say about Living in Pursuit of God

What Jesus has to Say about Living with the End in Mind

Experiencing Christ Together — Explore the five
biblical purposes that make up a high-impact Christian life—
worship, fellowship, discipleship, ministry, and evangelism.

Vol 1: Beginning in Christ

Vol 2: Serving Like Christ

Vol 3: Connecting in Christ

Vol 4: Sharing Christ

Vol 5: Growing in Christ

Vol 6: Surrendering to Christ

Doing Life Together — This Purpose Driven Group
Series provides your group with an overview of the five biblical purposes found in
the Great Commandment and Great Commission.

Vol 1: Beginning Life Together

Vol 2: Connecting with God's Family

Vol 3: Growing Like Christ

Vol 4: Developing Your Shape to Serve Others

Vol 5: Sharing Your Life Mission

Vol 6: Surrendering Your Life

A Spiritual Road Map in a Mixed Up World, a video based small
group study on 1 Thessalonians

Vol 1: Six Lessons from
1 Thessalonians 1:1–3:13

Vol 2: Six Lessons from
1 Thessalonians 4:1–5:24

Developing a Faith That Works, a video based small
group study on the book of James, taught by Rick Warren

Vol 1: Six Lessons
from James 1:1–2:20

Vol 2: Six Lessons
from James 3:1–5:20

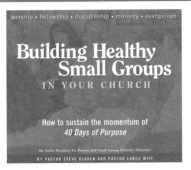

Building Healthy Small Groups in Your Church
How to Sustain the Momentum of 40 Days of Purpose

Spiritual Health Assessment and Spiritual Health Planner
A tool to measure the spiritual health of your small group

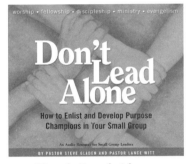

Don't Lead Alone
How to Enlist and Develop Purpose Champions in Your Small Group

10 Qualities of Healthy Small Groups
The Teaching Ministry of Rick Warren

250 Big Ideas
for Purpose Driven Small Groups

Deepen the Purposes

Deepen the five purposes in your small group by combining any of our small group curriculums to make quarterly studies or an entire year of deepening the five purposes. Visit our website at **www.purposedriven.com** to view a complete product offering.

40 Day Campaigns

Would you like to see your entire church experience *40 Days of Purpose*? Learn more about how your church can participate with tens of thousands of other churches across the globe who have done a *40 Days of Purpose* church-wide campaign.

You can also learn more about our *40 Days of Community* campaign. Imagine what could happen if every small group in your church reached out together, showing love in practical ways to those in your community. Lives would be touched, people would begin a relationship with Christ, practical needs would be met, and the church would become known more for the love it shows than for what it is against.

Visit www.purposedriven.com for a free brochure and preview video of our 40 Day Campaigns.

What's next? Studying the purpose driven life is just the start of a life journey. We hope it's also the beginning of a relationship with **purposedrivenlife.com**. Visit out website for a selection of books, resources and free tools that will help you focus on God's purposes. From books by Rick Warren to other well-known authors, you'll find something that will inspire and instruct you in living a life of purpose.

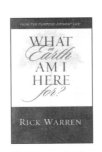

The first seven chapters of
The Purpose Driven Life
(available in packs of 25 and 250)

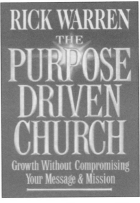

The Purpose Driven Life
What on Earth am I Here For?

The Purpose Driven Church
**Growth without Compromising
Your Message & Mission**

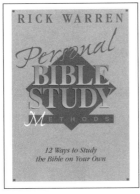

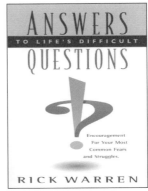

Personal Bible
Study Methods
**12 Ways to Study
the Bible on Your Own**

The Power to
Change your Life
**Exchanging Personal Mediocrity
for Spiritual Significance**

Answers to Life's
Difficult Questions
**Encouragement for your Most
Common Fears and Struggles**

Épique

William S. Messier

Épique

roman

ÉDITIONS
MARCHAND
DE FEUILLES

Marchand de feuilles
C.P. 4, Succursale Place d'Armes
Montréal (Québec)
H2Y 3E9
Canada

www.marchanddefeuilles.com
Mise en pages : Roger Des Roches
Illustration de la page couverture : Beast from East
Graphisme de la page couverture : Sarah Scott
Révision : Annie Pronovost

Diffusion : Hachette Canada

Les Éditions Marchand de feuilles remercient le Conseil des Arts du
Canada ainsi que la Sodec pour leur soutien financier.

 Conseil des Arts **Canada Council**
du Canada for the Arts

 Société
de développement
des entreprises
culturelles
Québec

**Catalogage avant publication de Bibliothèque et Archives nationales
du Québec et Bibliothèque et Archives Canada**

Messier, William S.

  Épique

  ISBN 978-2-922944-69-3

  I. Titre.

PS8626.E758E64 2010   C843'.6   C2010-941284-2
PS9626.E758E64 2010

Dépôt légal : 2010
Bibliothèque nationale du Québec
Bibliothèque nationale du Canada
© Marchand de feuilles, 2010

À Anne-Marie et nos petites fictions.

Le passé est difficile d'accès. Mais lorsque vous décidez que le monde n'est plus magique mais plutôt technique; que tout peut être expliqué et le sera un jour; qu'il faudrait agencer les choses comme les pièces d'une machine ou plus tard des unités d'information dans un logiciel, est-ce même nécessaire d'affirmer que quelque chose a été perdu ?

JACOB WREN
La famille se crée en copulant

1.

Un débit maximal
de données

Einstein

Je me dis qu'entre mon prénom, Étienne, et le nom d'Einstein, il n'y a que très peu de différence. C'est-à-dire qu'on pourrait facilement faire une faute en écrivant «Einstein» et ça donnerait mon prénom, et vice-versa. Entre l'homme et moi, c'est autre chose. Il est grandiose et moi, je suis quoi? Je suis convaincu, en tout cas, qu'après avoir survécu au déluge qui a frappé la région de Brome-Missisquoi en 2005, j'ai atteint une salle voisine de celle des grands comme Einstein, dans le Temple de la renommée de la race humaine.

Je me dis aussi qu'il faut que je raconte les événements de 2005 pour la postérité, pour qu'on enregistre tout ça et que ça devienne de l'information à stocker parmi les myriades de récits à raconter aux étrangers qui voudraient connaître l'histoire de la région. Ce n'est pas que mon rôle a été aussi primordial que celui de Valvoline, ou de Jacques Prud'homme, mais j'ose croire que cette contribution aux registres provinciaux me vaudra au moins une frite gratuite dans l'une des multiples patateries de la région.

Si je parlais d'Einstein, c'est parce qu'il a bouleversé l'entendement humain en stipulant que le temps et l'espace sont relatifs, voulant dire, je crois, que plus on va vite, plus le temps passe lentement, et que si j'avais réellement voulu écourter mon quart de travail, le soir du 15 juin 2005, je ne me serais pas tué à courir d'un bout à l'autre de ma section de l'entrepôt pharmaceutique de McStetson Canada inc. Si j'avais plutôt pris mon temps, j'aurais eu l'impression que le temps passait plus rapidement. Et je n'aurais probablement jamais perdu mon emploi, ce soir-là.

J'avais des bottes de travail, cette fois-là, parce que les semaines précédentes, je n'en avais pas et la responsable de quart avait évoqué la CSST et un paquet de revendications syndicales en litige à ce moment, comme quoi de pauvres négociants se battaient quelque part pour obtenir des droits fondamentaux que moi, je négligeais bêtement. Et je portais des pantalons de travail qui n'avaient servi qu'une seule fois auparavant – j'avais pris soin de les tacher un peu car un gars ne se pointe pas chez McStetson Canada inc., ni nulle part ailleurs, en pantalon de travail immaculé. Pas plus qu'il n'y commence une conversation en paraphrasant Einstein. Son lecteur optique en main, son bracelet à écran au bras, son cœur à plein régime et son esprit vide, un gars fait le travail et essaie d'oublier le plus vite possible toute idée étrangère au moment présent, réel et palpable. Un gars choisit sa section ou se la fait assigner par la responsable de quart et part au galop en espérant que ses collègues ne chanteront pas par-dessus les tubes disco qu'un haut-parleur crache faiblement dans les rangées.

Je commençai comme il le fallait, avec la première caisse que le convoyeur m'amena : je balayai le code-barres sur le couvercle, le premier item que me montra l'écran à mon bras fut le L-12, j'allai dans la rangée appropriée, balayai le code-barres de la case de l'item, quatre contenants de deux cent cinquante millilitres de Robitussin DM, dompai les boîtes de médicaments dans la caisse en plastique sur le convoyeur, appuyai sur l'écran pour avoir l'item suivant, L-135, courus à la rangée, balayai la case, comptai six boîtes contenant respectivement huit sachets de Sudafed extrafort, retournai au convoyeur, jetai les six boîtes dans la caisse ; M-13, courus, repérai, comptai douze tubes anti-inflammatoire Myoflex de cent trente-cinq grammes, en échappai deux, recomptai, partis, dompai, appuyai. Après que quelques caisses eurent passé devant moi, réclamant les items de mon lot de rangées, à coups de quinze items par caisse, j'atteignis l'état second, celui tant redouté, qui m'avait forcé, la

---

semaine précédente, à m'arrêter pour constater qu'effectivement, je n'avais pas eu de réelle pensée depuis au moins vingt-cinq caisses, et qu'il en restait beaucoup plus en amont qu'il n'y en avait en aval sur la courroie du convoyeur.

J'entendis la voix de Gloria Gaynor qui me rappela ma première année du secondaire et l'interprétation de «I Will Survive» d'un groupe que j'écoutais beaucoup cette année-là. Toujours en balayant, en comptant, en identifiant et en dompant une quantité de produits pharmaceutiques et en tentant d'ignorer la femme qui s'était mise à chanter l'air des Bee Gees qui, maintenant, me faisait penser à un rappeur américain et à sa reprise de «Stayin' Alive» et à comment tous ces classiques pop ne me rappellent finalement que leurs reprises contemporaines. L'item M-465 était momentanément introuvable, jusqu'à ce que je le repère en lisant les numéros des rangées comme du monde et en me rappelant qu'il est préférable de ne pas trop réfléchir, même si, parfois, de ne pas divaguer semble aussi difficile, impossible que renaître débile mental.

Le problème est dans le convoyeur, le sacrament de convoyeur, sa seule présence est si pesante qu'elle nous force à nier Einstein et à courir dans la poussière d'une courroie de caoutchouc sur un ruisseau de métal rutilant. Entre les étagères, j'entendis ma voisine de rangée psalmodier des mots qui ressemblaient à «quelle marde, oh mon Dieu, quelle marde». Mais ce n'était sûrement pas ça qu'elle disait.

Je balayai le code-barres d'une nouvelle caisse en me disant que j'en ferais une dizaine avant de jeter un coup d'œil à ma montre, mais chaque regard posé sur l'écran à mon bras passait sur mon poignet et je dus m'efforcer à éviter le cadre de ma montre comme le fossé qui délimitait le terrain de mes parents qu'on enjambait pour aller chez les voisins manger un pogo ou flatter Johnny, leur labrador hyperactif. Le souvenir de ce fossé et de ce chien m'aida tout de même à faire une douzaine de caisses; cinq contenants de trente grammes de Polysporin, huit paquets de gommes Nicorette à saveur de menthe poivrée, quatre boîtes d'Entrophène extrafort à trente-deux comprimés. Le gant qui nous servait de lecteur optique avait quelque chose de futuriste, du domaine de la science-fiction, comme le Power Glove de Nintendo. Il s'agissait d'un bracelet à écran qu'on enfilait comme un bandeau de fortrelle de joueur de basket, au bout duquel s'étirait un fil boudiné rattaché à une bague en néoprène supportant le lecteur, pas beaucoup plus gros qu'un dé à coudre, qu'on plaçait vis-à-vis de la deuxième phalange de l'index.

Comme je disais, j'aurais dû ralentir, le temps ne se serait pas étiré autant. Je plaçai une douzaine de paquets économiques de quatre bouteilles de cent millilitres de Pepto-Bismol et six boîtes de douze condoms Trojan lubrifiés nervurés avec spermicide dans la caisse de plastique sur le convoyeur en tentant d'ignorer le groupe disco Sister Sledge qui dans les haut-parleurs en cornet sur le coin d'une de mes rangées, voulait me convaincre qu'on était une grande famille: qu'ils aillent chier, les haut-parleurs, Sister Sledge, les ondes de sons en haute fréquence rebondissant sur la tôle des étagères de l'entrepôt, la musique disco au grand complet.

En prétextant une pile défectueuse, je me dirigeai vers l'avant de l'entrepôt, où chantaient en chœur les employés placés dans les premières rangées – à l'arrière se trouvaient les plus blasés, ceux qui, comme moi, sans doute, angoissaient constamment à cette idée de ne pas réfléchir du tout pendant de longues minutes, ceux qui vivaient leur quart de travail comme une plongée en apnée et qui se plaçaient au fond pour repousser le commencement du calvaire, le temps de se rendre à leur poste et d'attendre que les premières caisses arrivent à eux sur le convoyeur. À l'avant, la chorale prenait plaisir à se lancer des pointes au sujet de telle erreur commise des semaines ou des mois auparavant. Certaines anecdotes appartenaient maintenant au folklore d'entreposage pharmaceutique, dans la mesure où un tel folklore existe, des légendes stériles auxquelles chaque allusion provoquait une réaction forte parmi les permanents du milieu :

– Ha ! ha ! Michel, oublie pas que le chiffre après dix, c'est onze !

– Le NyQuil, Francine, c'est en bouteille, pas en sachet !

– Trompe-toi pas encore de caisse, mon Manuel. Sans ça, Monique va être obligée de te montrer par où c'est que ça rentre, un suppositoire !

Ils riaient et chantaient tandis que j'allais montrer mon lecteur optique à la responsable, qui m'indiqua comment le réparer avec un air de « voyons donc, maudit cave ».

– C'est parce que tu portais le lecteur sur le mauvais doigt. Retourne à ton poste avant que le convoyeur soit engorgé.

Je courus, puis ralentis en pensant de nouveau à Einstein et au fait que je devrais peut-être plutôt ramper, question d'accélérer le temps. Je pensai aussi à ce à quoi devait ressembler un convoyeur engorgé, m'imaginant l'Homme de fer du *Magicien d'Oz* engraisser de plus en plus, et devenir obèse morbide. Cette idée me permit de passer quelques caisses sur le convoyeur sans trop penser à ce que je faisais : je comptai et paquetai peut-être tout en double ou en triple. Ça m'était égal parce qu'au moment de constater la possibilité d'une erreur que j'aurais pu commettre, il était temps de balayer ma montre du regard sans l'enjamber. Je remarquai alors que, quoi qu'en dise Einstein, l'heure avait avancé.

Il était temps de manger. Les premières secondes s'écoulèrent et je dus m'efforcer à réfléchir, recouvrer cette bonne vieille capacité, à savoir si j'allais daigner m'asseoir avec les autres blasés tout au fond de la cafétéria, acceptant de sacrifier de précieux instants de pause pour me rendre là-bas. Ou irais-je avec les permanents à l'avant, envisageant par le fait même d'entamer mon souper plus tôt, mais de retourner plus rapidement au poste de travail. Finalement, je me dirigeai vers les blasés, en prenant bien soin de ramasser l'un des journaux qui traînaient sur une table en passant, afin de m'exclure de leur comité de conversations mornes.

En chemin, un des syndiqués me vit arrêter devant les tables de la cafétéria et sembla vouloir m'inclure dans une discussion déjà entamée : « Toi, qu'est-ce que tu fais dans la vie ? » Sur le coup, je me dis que j'avais sûrement mal entendu, qu'il ne m'avait pas réellement demandé ça. La réponse la plus sage était probablement de rire, ce que je fis, tellement la question me paraissait étrange. Il ne pouvait pas me demander ça. C'était ce que se disent deux gars qui doivent socialiser dans un party après qu'une connaissance commune les a présentés. Dans un entrepôt de produits pharmaceutiques, durant la pause du souper, on se dit plutôt «qu'est-ce que tu fais de bon?», «as-tu écouté la *game*?» ou encore «peux-tu te tasser?» Il répéta:

– Pis? Qu'est-ce que tu fais?

– Euh, je me cherche une place.

– Dans la vie?

Toute la tablée se mit à rire. Pour le défier, je décidai de m'asseoir directement en face de lui. Avec autant de syndiqués à gauche et à droite, je me sentais comme entre plusieurs parenthèses. Ils m'observaient et s'échangeaient des regards complices en attendant que le bonhomme reprenne.

– En plus de jouer au touriste devant le convoyeur, tu restes planté ici comme un chevreuil devant les lumières d'un truck!

Il y eut un malaise pesant, causé par ma présence à leur table: je perturbais un ordre. Mais, en peu de temps, j'arrivai à ne rien dire et à me fondre dans le flot de leurs discussions. Par ici, on parlait de ce qui était arrivé à tel employé, alors qu'il se rendait à un camping de Bromont en fin de semaine. Par là, on discutait de la nouvelle administration de l'Expo agricole de Bedford.

Je me concentrai de nouveau sur le bonhomme qui m'avait interpellé plus tôt. Les gens autour avaient l'air de le vénérer. Il s'adressait à une syndiquée à sa droite et je ne pus saisir qu'une partie de ce qu'il disait.

– Début juillet, je pense. Une à la suite de l'autre. À cause d'*El Niño*.

– Bof, j'ai fini de les croire, eux autres.

– As-tu remarqué qu'ils ont arrêté d'annoncer trente pour cent de probabilités de précipitations ? Maintenant, c'est toujours quarante pour cent. Quarante, c'est le nouveau trente.

– C'est justement. Ils font ça pour nous tenir en laisse.

– En haleine.

Lors de ma première journée de travail dans l'entrepôt, les patrons avaient fait venir une firme d'ingénieurs japonais pour organiser l'espace et les rangées de sorte que chaque employé travaille toujours de façon optimale, et fasse le moins de mouvements superflus. On m'expliqua qu'en plus du temps, chez McStetson Canada inc., l'espace était contrôlé. J'imaginai alors un plancher électrisé, comme dans certaines expériences menées sur des rats de laboratoire, et comment j'utiliserais sans doute des souliers de ballon-balai pour diminuer l'effet des chocs. Par contre, dans la cafétéria, le discours n'avait rien d'ordonné ou d'aussi bien orchestré que cette chorégraphie industrielle japonaise dans l'entrepôt. Ici, on se défoulait, on mangeait son souper en commençant par le dessert ou les crudités, on défaisait nos chemises, on manquait s'étouffer parce qu'on parlait, riait, buvait et mastiquait en même temps.

– *Anyway*, il paraît que le gouvernement attend la première grosse averse pour lancer le projet.

– Mais, tu y crois? Déménager tout ce monde-là! Les dommages que ça causerait.

– J'ai pas dit que j'y croyais. Ce que je dis, c'est que l'idée circule. On pourrait tous se réveiller au Vermont ou au New Hampshire demain matin.

– *Live Free or Die,* sacrament. C'est de ça que je parle quand je dis qu'on est *watchés*.

La mosaïque sonore avait une grosse craque à travers laquelle je devinais un consensus plutôt banal: il se passerait quelque chose, en quelque part, à un moment donné. Et ce serait important. Tout à coup, le temps et l'idée de l'accélérer pour sortir d'ici au plus vite me semblèrent de nouveau primordiaux. La responsable de quart se pointa alors au bout de la table et, séparant le flot de discussions, me demanda de venir la voir dans son bureau après le deuxième effort. Je pensais que la requête était passée inaperçue chez les autres employés mais le syndiqué de tout à l'heure me lança un regard mesquin.

– Oh *boy*, t'es dans la marde, là, mon *chum*!

Je savais très bien ce qu'elle voulait, je m'en doutais depuis que j'étais allé lui demander de l'aide avec mon lecteur optique : elle me mettrait dehors, je n'étais pas rentable, je nuisais au processus. Les ingénieurs japonais m'auraient éliminé depuis long-temps. À force de souffler dans les remous de cha-que vague productive de chaque poste occupé, on développe un sens tout spécial. Son sourire quasi absent, pour la peine, en disait autant sur ce qui m'attendait dans son bureau que son air de « t'es con ou quoi ? » de tout à l'heure.

Le repas terminé, j'envisageai la possibilité de sortir prendre l'air un moment. Ça représentait une épreuve de jugement puisqu'une fois dehors, il faudrait sans doute que je regarde constamment ma montre, pour éviter d'être en retard pour le deuxième effort – celui-ci allait être considérable-ment pénible, de toute manière, compte tenu de la discussion qui m'attendait par la suite. Il me restait à peine cinq minutes et le rituel protocolaire de sécurité pour sortir du bâtiment en grugerait la moi-tié, sans mentionner que le retour à l'intérieur en goberait l'autre à son tour, mais bon, considérant la rapidité avec laquelle j'avançais dans la cafétéria, je me dis que le temps s'étirerait peut-être et je décidai enfin d'y aller.

Un long corridor menait à l'unique porte de sor-tie, contrôlée par un lecteur optique dans lequel, devant un gardien de sécurité dont le sourire laissait paraître plus de gencives que de dents, on devait faire lire rétine, canine, pouce droit, pouce gauche, oreille et langue. À la fin du processus, au moment de décoller la langue du lecteur, il me restait toujours un arrière-goût folklorique, une saveur communautaire.

Une fois sorti du bâtiment de McStetson Canada inc., je m'éloignai juste assez pour apercevoir encore les chiffres sur ma montre, sous l'éclairage vibrant de l'unique lampadaire du stationnement. Les voitures ressemblaient aux coquillages reluisants qu'on alignait, mes parents et moi, sur la plage de Wells, autour de nos serviettes. Celles qui passaient sur la route n'étaient qu'une paire de phares blancs, puis une autre de phares rouges. Leur mouvement en ligne droite avait quelque chose d'hypnotisant : quand je plissais les yeux, leurs lumières devenaient de réelles étoiles dont les pointes semblaient élastiques. Je réalisai que de plisser les yeux maganait la profondeur de champ, que ces étoiles paraissaient palpables, qu'elles semblaient presque venir de mon propre nerf optique distordu, que celui-ci imposait à ma vision un filtre ou un acétate de branches d'étoiles dès que je plissais les yeux. Je pensai à la question du syndiqué, dans la cafétéria. Qu'est-ce que je faisais ?

Puis Einstein me revint en tête et je compris que, bâtard, vouloir *accélérer* le temps était une connerie inconcevable. Les choses disparaissent, les gens meurent, ils se rentrent dedans et leur peau prend feu comme s'ils étaient enduits d'huile à friture, ils s'essoufflent – on sait tous de quoi meurent les gens : comment pourrait-on même songer, même dans un entrepôt de produits pharmaceutiques, avec un bon salaire, des avantages sociaux, un bon syndicat, une place de choix dans le stationnement, comment pourrait-on envisager d'accélérer le temps ?

Je décidai alors avec une véhémence intérieure, comme si ç'eût été mon but premier en quittant la cafétéria, en mangeant en silence, mais combien férocement mon repas, en omettant au moins un item dans à peu près toutes les commandes de tous les pharmaciens depuis déjà trois semaines, de ne pas subir encore une fois le sermon sur ma contre-productivité et mon degré d'investissement dans l'entreprise. Je ne retournerais pas travailler chez McStetson Canada inc., pas même pour ce deuxième effort. Je leur damerais le pion. Je montais dans la première voiture qui voulut s'arrêter. C'était le début de l'été, je me trouverais autre chose en un rien de temps.

À partir d'une cabine téléphonique entre Roxton Pond et Cowansville, je pus inviter Valvoline à me prendre à bord de sa voiture. La tenue de route de la Sentra de mon amie donnait l'impression qu'on frappait un mur d'eau tous les dix mètres. Grande, brune et costaude, Valvoline était le genre de fille qui se tourne la tête quand elle nous parle en voiture, pour nous regarder le plus souvent possible droit dans les yeux. Quand je dis qu'elle est costaude, ce n'est pas seulement un autre mot pour dire qu'elle est grosse, même si des fois, c'est l'expression qu'on emploie. Valvoline est vraiment *costaude*. Elle aurait pu jouer un personnage d'un film des années 1990, avec ses chemises carreautées et ses jeans troués – une espèce de Steven Seagal mille fois plus cool. Sa carrure faisait en sorte que l'habitacle de la voiture paraissait vraiment plus grand de mon côté; j'imaginai une auto en forme de cône dans laquelle j'étais à l'extrémité la plus large.

Elle me fit remarquer que j'avais au bras ce qu'elle croyait être un Power Glove de Nintendo: j'avais volé le lecteur optique de McStetson Canada inc. L'écran à mon bras me demandait d'aller chercher six boîtes de quarante-huit comprimés d'Advil extrafort.

Valvoline me demanda de passer mon lecteur optique sur le code-barres de la bouteille d'eau dans le coffre à gants: rangée T-98, cinq paquets de vingt-cinq diachylons Elastoplast. Je pris ensuite un emballage de gomme dans le compartiment de ma porte: L-342, cinq brosses à dents Colgate Confort total, avec poils extrasouples. Puis, accidentellement, je passai le lecteur optique sur la manivelle de ma fenêtre : l'écran m'envoya chercher quatre paquets scintillants de lait maternisé Heinz avec vitamines A, C et D, en contenants de trois-cent soixante-cinq grammes. Valvoline jubilait :

— Euh, *weird* ! Qu'est-ce qui se passe ? Scanne le volant !

— Ça demande des rubans de soie dentaire.

— Ça reconnaît tout ? Même s'il y a pas de code-barres ? C'est *space*, ton affaire. Imagine passer tous tes objets au *scan* : tu te ferais une sorte d'entrepôt pharmaceutique fictif, avec telle quantité de brosses à cheveux, telle quantité de pilules pour la douleur musculaire, telle quantité de choses pour débloquer une toilette…

— Une ventouse.

— Telle quantité de ventouses ! Ce serait débile.

— C'est bizarre, tout est lisible : la ceinture de sécurité, la branche de tes lunettes de soleil, le lacet de mes souliers. Je me demande si c'est parce que le laser lit une sorte de code caché dans la texture des choses.

— Comme si tout avait un code.

J'imaginai ce que ça représenterait de balayer, avec ce lecteur optique, le plus d'objets possible autour de soi, dans le quotidien. Inventorier la région de Brome-Missisquoi. Trouver l'illisible, aussi. Qu'est-ce que je fais dans la vie ? Je lis. Je passai secrètement le lecteur optique sur la cuisse de Valvoline et l'écran me demanda douze boîtes de soixante feuilles assouplissantes Bounce, odeur de lavande. Je me demandai si ce n'étaient pas plutôt ses pantalons que le laser avait captés.

Entre mon dernier quart de travail à me ramollir le cerveau chez McStetson Canada inc. et le dernier jour du déluge de l'été 2005, j'ai dû balayer au lecteur optique plus d'un million d'objets. Ça me paraissait être une façon comme une autre de ralentir le temps.

Licorne

L'espace d'attente du Centre local d'emploi de Bedford comptait huit chaises, dont deux n'appartenaient pas au même ensemble de meubles de bureau. Je m'y étais rendu deux jours après avoir quitté McStetson Canada inc., en constatant que l'état de mes finances ne me permettait pas d'être aussi insouciant et de quitter le travail comme si je zappais pour changer de poste de télé. La majorité des chaises de l'espace d'attente étaient faites de coussins recouverts de velours côtelé bourgogne et tenaient grâce à une armature de cylindres en métal chromé. Les deux exceptions provenaient clairement de la chambre de l'adolescent de quelqu'un du bureau qui n'avait pas réussi à s'en départir dans une vente de garage ou à les refiler à un neveu ou à une nièce dont le mobilier se faisait vieillissant. Les autocollants de groupes rock sur l'une des deux chaises me permettaient de croire que l'adolescent qui les avait placés là était devenu adulte, d'où la volonté, pour le parent, de s'en débarrasser pour faire de la place dans une pièce servant probablement maintenant de salle d'exercice. L'autre chaise ne m'en disait pas autant. Pourtant, quelque chose dans la peinture, sur le matériau de bois qui cherchait à imiter du plastique – lisse et parfaitement uniforme – me laissait croire qu'il s'agissait là d'un item acheté dans une de ces chaînes d'ameublement qui te vendent un mobilier de bureau en bois simili-mélamine à l'achat d'un lit ou d'un canapé. L'écran de mon lecteur optique, lui, m'envoya chercher une douzaine de boîtes de teinture capillaire Just For Men, couleur brun métallique.

J'imagine facilement une fin de journée au centre local d'emploi : telle femme qu'on soupçonne de se nommer Rita annonce à tel homme qu'on soupçonne de se nommer Michel qu'elle ira, le soir même, à Cowansville ou à St. Albans, au Vermont, voir le fameux film dont tout le monde parle depuis quelque temps. Michel trouve ça tant mieux pour elle, et ajoute qu'elle devrait manger léger, en faisant référence au contenu du film. On comprend par son air que, contrairement à la plupart des autres collègues, il n'a pas capoté. En passant avec sa sacoche dans une main et un sac à lunch à moitié vide dans l'autre, Monique, qu'on soupçonne aussi de se nommer ainsi, mentionne que la semaine achève, comme si ce n'était pas évident et totalement banal comme commentaire, du fait qu'on est jeudi et que les bureaux sont toujours fermés les fins de semaine. Rita et Michel acquiescent : ils n'ont pas le choix parce que c'est difficile à contredire et parce que Monique est leur supérieure immédiate. J'espère qu'il existe entre Rita et Michel une liaison mystérieuse, une connexion trop implicite pour être sexuelle. Je vois ensuite le mari de celle qui pourrait facilement s'appeler Thérèse arriver avec les deux chaises d'exception. Sa femme l'accueille et explique à Rita que c'est telle femme de la comptabilité qui a mentionné qu'il manquait de sièges dans l'espace d'attente. Elle a alors pensé à ces deux vieilles chaises qui traînaient dans le sous-sol en se disant qu'elle poserait un beau geste en évitant aux contribuables de débourser pour deux chaises qui, *anyway,* ne seraient pas du tout dans le ton des autres chaises de la pièce. Le tout est affirmé avec un tel enthousiasme que Michel et Rita ne peuvent s'empêcher d'échanger un regard de consternation : s'il manque de chaises dans l'espace d'attente d'un centre d'emploi, j'imagine que ce n'est pas exactement un temps de réjouissances.

C'est vraiment parce que la préposée au centre m'était tombée dans l'œil que je considérai même le poste d'assistant-équarrisseur pigiste. Elle avait des yeux si grands et si noirs que les gens devaient avoir le vertige quand elle les regardait trop longtemps, des cils tellement longs que le vent devait se lever quand elle battait des paupières – elle aurait pu voler –, des joues si rondes qu'elles rouleraient éternellement si elles devaient se décrocher de son visage. En disant ça, je réalise qu'elle aurait pu ressembler à n'importe quel bébé-fœtus ou à un poisson-chat et la description tiendrait toujours. Disons seulement que la fille du Centre local d'emploi de Brome-Missisquoi, avoisinant le Korvette en décrépitude affichant sa gamme complète de poubelles en métal, de sandales de princesse, d'ustensiles de camping, de ballons de soccer, et de toutes sortes de trésors à une piasse et cinquante dans une vitrine poussiéreuse à Bedford, n'avait rien d'un bébé-fœtus ni d'un poisson-chat. Elle était plus belle qu'eux, en tout cas. Belle comme une licorne regardant l'arche se remplir et anticipant l'orage.

La jolie préposée cria mon nom et se mit à me vouvoyer comme si j'étais plus qu'une seule personne. Au début, je pensai à mon ancien voisin à Adamsville qui avait fini par loucher à force de regarder la télé à deux pouces de l'écran, sous prétexte que les carrés multicolores renfermaient en fait leurs propres programmes, et qu'il n'avait pas besoin de payer pour le câble, dans le fond. Il louchait plus qu'un cyclope, à un point tel qu'il vouvoyait tout le monde. Sauf qu'Élisabeth, la licorne du centre d'emploi, ne faisait pas de strabisme.

Non, elle était extrêmement belle. Et, quand je la balayai avec le lecteur optique de McStetson Canada inc., l'écran à mon bras afficha cinq boîtes de quarante comprimés de vitamine C à saveurs assorties de fruits exotiques.

Le poste d'assistant-équarrisseur était le premier sur sa liste, et j'acceptai avant même qu'elle prononce le nom de Jacques Prud'homme, comme pour lui éviter des complications, pour paraître ouvert, disponible, *willing*. Elle aurait dit «prostitué», j'aurais peut-être ravalé, mais je n'aurais pas refusé d'emblée. Je suis généralement un gars qui accepte les défis qu'on lui lance, surtout si le défi est lancé par une beauté aussi bouleversante. En rétrospective, je m'aperçois que le fait d'avoir entendu ce nom et ce prénom aurait dû déclencher au moins une alarme, dans la mesure où le seul Jacques Prud'homme dont j'avais entendu parler était une légende dans la région, une sorte de héros mystérieux qui faisait la une des journaux au moins une fois par semaine pour ses nouveaux exploits. Je travaillerais avec un mystère, une légende.

Le bureau d'Élisabeth formait un *L* qui l'entourait comme une caresse de mélamine et d'accessoires de bureau. Hormis un cadre sur lequel on pouvait lire le nom Casey, la montrant en compagnie d'un chien blond, je n'aperçus aucune photo de famille ou d'amoureux, ce qui pouvait vouloir dire au moins deux choses : elle n'avait ni famille ni amoureux, tout au plus, elle vivait seule avec un golden retriever ; ou elle avait bien un amoureux, mais elle préférait ne pas afficher son portrait dans son lieu de travail, d'abord parce qu'elle ne voulait pas que des clients trop indiscrets la questionnent à son sujet, ensuite parce qu'il s'agissait d'une relation plutôt jeune et que, étant une fille raisonnablement superstitieuse, elle ne voulait pas paraître trop optimiste. Comme tout le monde, elle avait sûrement subi de lourds échecs amoureux dans le passé.

Elle sembla rougir en décrivant les tâches de l'assistant-équarrisseur pigiste, ça me parut alors charmant, mais un peu prude aussi, venant d'une fille de la campagne. Non pas qu'on devrait être insensible quand on vient de la campagne, mais la charogne me paraît comme un fait incontournable – au même titre que le seraient les vidanges en ville. Dans l'optique d'une initiative d'emploi destinée essentiellement à la jeunesse de Brome-Missisquoi, les équarrisseurs pigistes de la région, autrement connus sous le nom des Charognards, avaient cru bon d'offrir, en partenariat avec les gouvernements municipal et provincial, une forme de stage rémunéré de deux mois. Il faut dire qu'avec les intempéries et, finalement, le déluge, on en vint rapidement à cesser de compter nos heures, et nos journées. Néanmoins, du vingt juin au vingt août 2005, l'assistant-équarrisseur pigiste accompagnerait l'équarrisseur pigiste six jours sur sept, à raison de dix heures par jour, en échange d'un taux horaire de dix-huit dollars et d'une possibilité de primes au bon rendement. Je passerais donc une partie de l'été à parcourir les Townships en long et en large, à tracer des tentacules initiatiques sur le territoire, pour ramasser les charognes et autres carcasses que nous auraient signalées les agriculteurs, les vétérinaires, les femmes cachées sous plusieurs robes, possédant beaucoup trop de chats, les verts de la SQ, les petits gars obsédés par les bruits d'explosion et les branches ressemblant à des mitrailleuses, les grands-mères en jaquette, les richards en char sport et n'importe quel autre pauvre chrétien soucieux de la propreté de son rang.

Évidemment, ce ne sont pas les mots qu'avait employés la préposée. Sa pudeur du départ sembla céder la place à une nouvelle tension, on aurait dit qu'elle voulait se débarrasser de moi. Je me dis alors que ça pouvait vouloir dire deux choses : Élisabeth était peut-être une fille extrêmement gênée et elle s'était aperçue qu'entre nous deux, il se créait lentement une espèce de cocon quasi intime dans la mesure où, après l'avoir balayée secrètement avec mon lecteur optique, je l'avais fixée droit dans les yeux en m'assurant de ne cligner des yeux qu'en même temps qu'elle, ce qui serait très difficile si je n'avais pas déjà plusieurs heures d'expérience en abstention de clignement, de sorte qu'elle ressente inconsciemment une simultanéité naturelle. Il paraît que dans les salles de cinéma, le tiers des gens ferment les yeux aux mêmes moments. L'intimité d'apparence naturelle qu'elle pouvait ressentir, donc, l'avait peut-être intimidée au point où elle voulait y mettre fin au plus vite. Sinon, Élisabeth souffrait peut-être de problèmes de digestion quelconques qui la rendaient prompte avec moi, de peur que j'entende un gargouillement, ou pire, que je sente un gaz, et que ça fende *ipso facto* notre cocon. Dans ce cas, j'aurais eu tendance à être d'accord avec sa logique et à apprécier, finalement, son air bête. Bien sûr, j'envisageai aussi la possibilité que le problème soit de mon côté : qu'elle ne me trouvait pas du tout de son goût, que je dégageais déjà une odeur de charogne, qu'elle n'était pas assez attirée par moi pour que ça vaille la peine de me montrer son intérêt afin de quitter éventuellement son amoureux, moniteur de camp de vacances pour personnes handicapées, bénévole à l'Armée du Salut, culturiste végétarien ceinture noire. Mais j'arrêtai d'y penser parce que ça menait nulle part.

Dans l'idée d'aller contre le flot, de freiner l'accélération, Élisabeth était une source d'inspiration.

Je pensai à une liste de facteurs aidant à justifier les détours, les digressions, la contreproductivité fondamentale derrière chacun de mes actes. Je me dis que le temps n'avait pas besoin de moi pour lui dire à quelle vitesse avancer. Je me dis que l'important était de ne jamais me retrouver dans une situation où j'en viendrais à vouloir accélérer parce que je raterais de précieux instants pour contempler et savourer ces choses parfaites qu'on croise tous les jours et m'en imprégner. Einstein, lui, disait que je ne devais jamais arrêter de bouger.

Chire

Je sortis du centre d'emploi avec un bout de papier sur lequel une licorne au col blanc avait inscrit l'heure et le lieu de rendez-vous pour ma première journée en tant qu'assistant-équarrisseur pigiste : le 20 juin, neuf heures, restaurant la Patate Maculée, Saint-Alexandre. Une note me rappela aussi d'apporter un repas, une casquette ou un chapeau quelconque, ainsi qu'une paire de gants de travail.

Avant de sortir, j'aurais aimé trouver quelque chose de brillant à dire à Élisabeth, mais rien n'est venu. J'aurais dû lui demander ce qu'elle préférerait entre voler et être invisible, en lui expliquant clairement les limites de chaque capacité. En revanche, je crois que c'est une bonne affaire que je n'aie rien dit à ce sujet. Des gens parfois paraissent ouverts, comme des puits de lumière, mais s'avèrent être des crétins complets quand il s'agit de tester cette ouverture, de décomposer les particules de lumière.

Valvoline avait accepté de venir me chercher dans le stationnement du centre local d'emploi.

– Sais-tu ce qu'ils devraient faire? Ils devraient obliger tout le monde à magasiner chez Korvette. En plus de forcer le propriétaire à changer sa christie de vitrine ultra-laide, ça ferait réaliser au monde entier à quel point c'est le magasin le plus incroyablement *hot* de l'existence.

– Qu'est-ce que t'as acheté?

– « Acheté »? Non, non, tu, ouvre les guillemets, achètes, ferme les guillemets, du lait. Tu, ouvre les guillemets, achètes, ferme les guillemets, des bobettes. OK, d'accord, très bien. Mais, chez Korvette, t'achètes rien. T'adoptes et t'assimiles une façon de vivre, de consommer. T'achètes rien, *man*.

– Qu'est-ce que t'as adopté?

– C'est dans le sac à tes pieds, ça se tient par la tige, la boule vers le bas et les franges doivent rester droites.

– Ça ressemble à rien du tout. Ç'a coûté combien?

– C'est un bel objet, c'est tout.

– À quoi ça sert?

– T'es tellement pragmatique. C'est un bel objet. C'est tout.

– J'avoue quand même que le Korvette a sa façon unique de nous charmer. Savais-tu que celui à Stanstead a changé la typo sur son affiche? Ça ressemble à une pancarte de *bed and breakfast* à thématique de donjons et dragons.

– C'est à peu près les quatre seules affaires qu'ils ne vendent pas : des lits, des déjeuners, des donjons et des dragons.

Valvoline et moi, on se connaissait depuis le secondaire : on avait travaillé ensemble au Zoo de Granby et on avait ensuite reconnecté quand j'avais accepté de louer l'appartement dans le sous-sol de chez ses parents, quelques mois avant mon dernier quart de travail chez McStetson Canada inc. Son père, Maurice, était alors mon gérant au Rona de Granby, et en dépit de ma contreproductivité chronique, il m'aimait assez pour m'offrir le logement qu'il venait de rénover.

– J'ai scanné presque tout le magasin, l'autre jour et sais-tu ce que le caissier donne ?

– Lequel ? Celui qui ressemble à un Manuel Hurtubise obèse, ou celui qui a une dent d'en avant toute brune ?

– Manuel Hurtubise. La dent brune est ben trop dégueulasse pour que j'ose le toucher, même au bout d'un rayon laser. Il donne vingt boîtes de douze condoms Durex Golden Sensation. Vingt boîtes !

– Gros dégueulasse.

– Quand je lui ai montré, il a souri, mais j'avais plus l'impression qu'il fouillait dans sa tête pour savoir s'ils vendaient des Golden Sensation dans le magasin.

En juin 2005, Valvoline travaillait à temps plein au Shell de Saint-Ignace-de-Stanbridge, qui n'était pas à la porte d'à côté, mais dont le propriétaire connaissait bien Maurice.

— Les seuls condoms qu'ils vendent viennent du Turkménistan et ils les mettent avec les jujubes et les suçons. Ils goûtent les pinottes.

— Ils les ont probablement pas chez McStet.

— …

— « Ils goûtent les pinottes » ? As-tu vraiment adhéré au mode de consommation du Korvette, même pour les *capotes* ?

Elle avait comme théorie qu'il fallait contrebalancer chaque excès par son contraire. Souvent, quand elle jugeait avoir été trop longtemps sous l'éclairage des néons du Shell, elle se bandait les yeux pendant le même temps, le lendemain. Si elle passait la soirée à manger des bretzels, elle devait manger sucré le lendemain. Évidemment, ça donnait lieu à de longues discussions entre elle et moi, parce qu'à mon avis, le contraire du salé n'est pas sucré mais plutôt non salé. C'est bien connu que tout dans la vie est soit 1 ou 0. Je vois Valvoline comme en constant déséquilibre, en excès perpétuel. Une suite infinie de 1, une chire.

– « Assistant-équarrisseur pigiste. » Ça sonne comme la mort, ton affaire.

– En tout cas, ça paie certainement comme la mort.

– Es-tu énervé de travailler avec *le* Jacques Prud'homme ?

– Bof… Si je scanne la note du centre d'emploi, avec le rendez-vous et tout, ça dit huit contenants de cent vingt millilitres de Pepto-Bismol.

– Ça dit tout.

J'ignorais que Valvoline connaissait si bien Jacques Prud'homme – autant l'homme que sa légende. En route vers la maison, elle énuméra une suite de caractéristiques plutôt banales à son sujet, comme pour me prouver qu'elle savait de qui elle parlait : il est né en 1965, ce qui veut dire que si tout va bien, il mourra de sa belle mort vers 2055 ; il remplace parfois le sucre dans son café par du sirop d'érable ; il fume occasionnellement la cigarette ; il se rase la barbe régulièrement, presque tous les jours. Elle m'expliqua ensuite que Jacques Prud'homme passait tous les jours au Shell, que son patron lui offrait des tarifs préférentiels. Dans un vieux cartable de recettes qu'elle avait emprunté à sa mère, elle prenait des notes au sujet de Prud'homme, et des charognes qu'elle apercevait dans la boîte de son truck ou selon les descriptions qu'en faisaient les gens qui les lui signalaient.

Pour des raisons qu'il m'arrive de trouver ab-
surdes, Valvoline préférerait être invisible. Personnellement, je ne crois pas qu'une fille comme elle
devrait avoir le droit d'être invisible.

Walker Texas Ranger

Voici une chose que je fais parfois quand je suis nerveux : j'envoie un coup de pied dans les airs en marchant de sorte que quiconque serait là pour le recevoir encaisserait le coup directement dans la jugulaire, s'étoufferait automatiquement et, dans la mesure où ses vertèbres cervicales auraient tenu le coup, serait proprement mystifié par l'assaut. Un peu comme Chuck Norris ou Bruce Lee le feraient à l'endroit d'un ennemi anonyme, d'un ninja blanc, d'une panthère, ou l'un envers l'autre dans un ultime duel. J'imagine une silhouette floue qui surgit devant moi et qui s'étonne de la rapidité et de la précision de mon geste – il doit y avoir quelque chose de burlesque dans sa réaction, une gestuelle exagérée, même dans ma tête. Je n'arrive pas à décider si c'est extrêmement cool ou extrêmement cave de simuler des mouvements d'arts martiaux dans le vide, c'est pourquoi j'essaie de le faire uniquement quand je suis seul. Il reste que si j'avais

à me battre un jour, j'aurais déjà en tête la manœuvre idéale, j'aurais une espèce de sensibilité déme-
surée et je serais vraiment imbattable.

Il y a trente-deux façons d'infiltrer mon appartement dans le demi-sous-sol de Maurice dont la
moitié résulterait en un talon sur une pomme
d'Adam comme un train routier frappant un moineau. Et l'autre moitié implique un combat que j'ai
orchestré d'avance dans ma tête comme une véritable chorégraphie, incluant un passage dans la
cuisine où j'aspergerais le ninja blanc avec l'huile
végétale en aérosol que je laisse toujours près du
poêle, et une utilisation inusitée de mon tranche-pain
électrique, qui demeure toujours branché à côté
du grille-pain.

J'exécutais un mouvement de coup de pied à la
gorge au moment de me faire soulever par le vent
de la 227. Je sentis ses gros doigts me prendre par
les aisselles comme si j'étais un *shooter* de téquila,
me renverser et me déposer de l'autre côté de la
route. On m'avait déjà parlé de la force du vent le
long de la 227. Après mon rendez-vous au centre
local d'emploi, Valvoline m'avait averti de la puissance incroyable des bourrasques le long de cette
route. Son père avait déjà été conseiller municipal
à Bedford et il avait milité fort pour un projet
de muraille coupe-vent de deux kilomètres, après
qu'une équipe de hockey du Vermont avait perdu ses

deux meilleurs ailiers gauches, noyés dans le champ du côté sud de la route. Parce qu'en plus d'y venter comme une éructation du Christ, jusqu'à décoller la peinture sur les tracteurs – sur le bord de la route, ils sont tous soit rouillés, soit chromés comme des camions à lait. En plus d'y venter très fort, donc, l'eau s'y accumule à longueur de saison à cause des fossés qui ne sont pas assez creux. Si on demande à l'homme qui loue le bungalow situé en plein centre de la plaine, il expliquera en détail, sous toutes sortes d'angles, avec son drôle d'accent anglophone qui le fait féminiser comme par précaution tous les mots qu'il prononce, sa théorie voulant qu'il ne se soit pas posé une seule calvette digne de ce nom sur la 227 depuis 1958, et qu'à cette époque, *la* diamètre des calvettes ne faisait jamais plus que trois pieds.

Les semaines suivant l'accident des Tigers du Vermont, Maurice, le père de Valvoline, avait distribué des centaines de tracts décriant la situation éolienne de la route secondaire, invitant fortement ses concitoyens à appuyer son projet de muraille sur laquelle on inviterait les artistes de la région à dessiner un paysage de leur choix. Si le projet avait été accepté, on verrait sans doute aujourd'hui, à la place de l'étendue froide de rangées de maïs inondées une fois sur trois, une série d'images de montagnes gigantesques, de canyons désertiques, de chutes tropicales, de toundras, de forêts pluviales, de grottes, de fonds marins, d'explosions atomiques, de rosiers sauvages, d'éruptions volcaniques, de circuits électroniques, de mégalopoles asiatiques, de champs de fractales. Et c'est sans compter la quantité incroyable de matantes dépensant une énergie folle à remplir leur espace sur le mur de toutes sortes de tableaux impressionnistes à l'aquarelle représentant leur cour arrière en été : chaises en rotin, lilas, treillis ombragé, et tout ce qu'on voudra.

La rumeur court aujourd'hui au sujet de l'implantation d'une quantité d'éoliennes sur le corridor de vent de la 227. La Brome-Missisquoi Electric Co. a acheté les trois quarts des terres depuis que plus rien n'y pousse sauf de la glaise et beaucoup d'amertume. Je vois déjà les éoliennes saluer les camions en transit à cent trente kilomètres heure dans une zone de quatre-vingt-dix, la sortie du marais, leurs hélices battant comme pour soulever la terre. J'imagine qu'après quelques décennies, on y trouverait une montagne tellement elles auraient tiré le sol – je suis conscient qu'il faudrait, au préalable, ajuster les pales des hélices de sorte que l'effet du vent permette ce mouvement, ce n'est sûrement pas si compliqué. Les gens, pourtant, s'indignent régulièrement dans les cantines et *truck stops* du coin.

– C'est pour ça qu'on part en camping cet été, nous autres. Pas question d'être là quand ça va péter, cette histoire-là.

– Le pire, c'est que s'ils installent leurs hélices éoliennes, ça va venir avec une trâlée de voyages de terre pis de gros dix-roues remplis de bouette, pis tu vas pouvoir dire *bye* à ta belle Grande Ligne toute propre. Un gros nuage de poussière, tout l'été.

– Ça, c'est sans parler de la pluie qu'ils annoncent.

– Après ça, aussitôt que le nuage de poussière retombe, en plus de laisser un gros tapis de sable partout, en plus de la grosse bouette à cause de la pluie de juillet, bâtard, ça va être comme si la région au complet avait changé de face. Chirurgie plastique, toi.

– Envoyez, mettez-les vos éoliennes, qu'on sourie, qu'on regarde la région comme si on remarquait pas le changement dans sa face. Qu'on se dise après, entre nous autres, «Mon Dieu qu'elle aurait pas dû !»

À la dure, donc, je pus constater la puissance du vent qui érode horizontalement la route 227 entre Notre-Dame-de-Stanbridge et Saint-Alexandre. Au bon moment, sous l'angle idéal, on a l'impression que l'air est solide, on se croit pris entre une brique et le mortier sur une maison qui n'arrête jamais de tanguer.

51

Le vingt juin 2005, la météorologiste de Radio-Canada n'annonçait pas de vents extraordinaires. Je ne sais pas s'il faut crier au miracle, si les gens du coin vivent souvent la même expérience, si les premiers humains à le faire sont devenus des morceaux de légendes, des racines de héros mythiques, mais alors que je me dirigeais vers Notre-Dame-de-Stanbridge, tout juste avant l'intersection de la 227 et du rang Sainte-Marie, en sautant pour assener un de ces coups de pied acrobatiques à la jugulaire d'un ennemi invisible, je jure que le vent me souleva à plus de six pieds du sol. Je marchais du côté nord de la route et, après avoir amorcé la montée de mon pied et avoir vu la palette de ma casquette des Red Sox quitter mon front, je me retrouvai du côté sud, sur mes deux pieds. Aussitôt, je me demandai si le sol n'avait pas bougé; si la Grande Ligne entre Notre-Dame-de-Stanbridge et Saint-Alexandre n'avait pas spontanément pris un croche sous mes pieds, comme un hoquet de la nature.

J'imagine souvent que le monde n'est qu'une immense interface où transigent une quantité infinie de systèmes. Chaque petite vie individuelle est une suite de données qui entrent dans la machine et qui doivent être traitées par une logique d'équations et de corrélations innombrables. J'imagine que Google tient toutes ces données dans un bâtiment d'entreposage au Connecticut, qui n'arrête tout simplement jamais de grossir, qui gagne quotidiennement une nouvelle aile au grand complet mais dont les étages doivent se limiter à six à cause d'un règlement municipal empêchant les immeubles de dépasser la hauteur d'une montagne avoisinante dans laquelle on aurait sculpté, à l'échelle des visages sur le mont Rushmore, une version géante du garage de Steve Jobs. Dans cette vision du monde, mon saut par-dessus la 227 aurait représenté une espèce de *glitch* informatique ou électronique et Dieu sait ce qui se serait passé dans l'entrepôt du Connecticut – un accident de *fork-lift*, une panne de courant, une bataille entre employés de soutien, une famille de rats dans les circuits.

Je me suis dit que c'était une maudite chance qu'aucun des monstrueux convois à dix-huit roues en direction de la grande ville ou de la frontière américaine ne passait pas par là, au même moment. J'aurais pu voir le train routier dérailler, et sa cargaison de ce qu'on voudra s'éparpiller dans les deux pieds d'eau qui séparent chaque rangée de terre labourée. J'imaginai le camionneur pleurer comme un bébé et ça me fit beaucoup rire, intérieurement.

– Hé ! Walker Texas Ranger !

Ça venait de l'autre côté de la route. Je n'avais pas remarqué le camion que j'avais enjambé durant mon vol plané de quelques mètres vers le sud. Je n'étais pas tout à fait ébranlé. Un peu surpris, mais il faut dire aussi que le vent n'est pas quelque chose qui m'effraie beaucoup : j'ai survécu à l'unique tornade qui ait frappé Adamsville, quand j'avais onze ans, en plongeant dans la rivière Yamaska. Le vent avait commencé à se lever alors que j'attendais l'autobus. J'avais tout juste eu le temps de lancer mon sac dans le boisé longeant notre maison et de me rendre en courant à la rive avant que la tornade grise et mottoneuse, comme un gros moquechloque dans une mèche de la barbe de Dieu, descende sur le chemin d'Adamsville et commence à épousseter le coin.

La plupart des gens refusent de me croire, mais je jure qu'à mon retour à la surface, la tornade était passée, ma maison s'était volatilisée et Adamsville avait fusionné avec Bromont. Ça s'appelait désormais Bromont 2, comme la suite à plus petit budget d'un mauvais film. Alors, que personne ne s'étonne si je n'avais pas l'esprit déconfit au moment de l'atterrissage, après que le vent m'eut soulevé. De la fenêtre de son camion, Jacques Prud'homme tenait ma casquette et me regardait en riant.

— Les Red Sox ? Voyons donc, Walker Texas Ranger. Ton équipe, c'est les Astros. Tout le monde sait ça.

De mon côté du chemin, ce qui s'avérerait plus tard être le ton moqueur habituel de Jacques

54

Prud'homme me paraissait, en ce moment précis, tout à fait bête. D'autant plus que l'homme en question portait une casquette des Yankees, comme si ce n'était pas le plus gros cliché de l'Univers. Je trouvais alors qu'il ressemblait étonnamment au syndiqué de chez McStetson Canada inc.: le même petit sourire baveux, au-dessus de ses affaires, du gars qui sait tout et qui est partout en même temps. Le gars qui gère tout comme un petit dieu, omnipotent et ironique en plus. Il me fallut par ailleurs un certain temps pour comprendre pourquoi il m'appelait « Walker »: sans doute parce qu'il m'avait vu envoyer mon coup de pied imaginaire et qu'il me prenait pour Chuck Norris, même si je ne lui ressemble en rien. D'abord, je suis beaucoup trop élancé, je suis Chuck Norris dans un miroir concave. Et je ne suis pas roux mais brun, alors.

Jacques Prud'homme ricanait, grotesque et crasseux, dans une cabine visiblement trop petite et encombrée. Son visage à lui seul semblait plus gros et plus large que mon tronc. Il me rappelait la fois où mon père avait essayé de se dessiner un bonhomme sur le ventre pour faire rire les gens à une fête de famille. Son nombril poilu passait pour une dent manquante dans le sourire de son bedon. Jacques, lui, avait toutes ses dents, mais son menton proéminent et sa gigantesque stature, même assis là dans son truck, lui conféraient le même air

sympathique qu'avait la bédaine pileuse de papa.
J'aurais aimé balayer le visage de Jacques avec le
lecteur optique, mais ç'aurait été impoli: on ne
réagit pas tous de la même façon sous le regard
microprécis d'un laser.

– Êtes-vous Jacques Prud'homme, par hasard?

– Par hasard, par conséquent, partout, par ce
que tu veux, mon homme.

– Parce que je le cherche. Ça fait trois heures
qu'il était supposé me rejoindre à la Patate de
Saint-Alexandre.

Après deux heures et demie à téter un café re-
froidi et réchauffé à chaque passage de la waitress
de la cantine qui n'en finissait plus avec les clins
d'œil et le mâchement de gomme, j'avais décidé de
marcher sur la 227, en me disant que s'il arrivait
de Notre-Dame-de-Stanbridge ou de Bedford, on
n'aurait pas le choix de se croiser. S'il ne se pointait
pas, je n'aurais qu'à rentrer chez moi sur le pouce.
La waitress, qui d'abord semblait avoir beaucoup
de difficulté à croire que j'avais vraiment rendez-
vous avec Jacques Prud'homme, me l'avait décrit
comme étant le genre d'homme qu'on reconnaît
automatiquement quand on le voit. Et la caissière
de renchérir qu'il était totalement indescriptible, mais
qu'au premier coup d'œil, je saurais l'identifier.

– En plus, tu vas voir, il a du vrai feu dans les
yeux. Comme s'il brûlait de l'intérieur.

– Comme une fournaise dans sa tête. Tu peux pas te tromper.

– Ça se peut qu'il ait des grafignes dans la face à cause qu'il paraît qu'hier, il a émondé trois acres de bois avec une hache dans chaque main, à Stukely-Sud.

– Sauf que d'habitude, ça paraît pas le lendemain. Oublie ça. Fie-toi à ses yeux. Sont en feu, je te le dis. Tu peux pas te tromper.

Il faut dire que je devais avoir l'air assez prétentieux, à affirmer comme ça, nonchalamment, que j'avais rendez-vous avec le héros de la région. L'homme que tous les petits gars veulent devenir, et envers qui tous les parents desdits petits gars ont poussé l'admiration jusqu'à inclure les mots «Jacques-Prud'homme» sur le baptistaire de leur enfant, quelque part entre son prénom et son nom. On est tous, en quelque sorte, des Jacques Prud'homme.

C'était quand même curieux de les entendre parler de cet homme que je rencontrerais personnellement quelques instants plus tard, mais qui sinon n'était connu que par les photographies quotidiennes qui faisaient la une des journaux du coin et la quantité incroyable de légendes à son sujet – ça me paraissait incongru de concevoir qu'un tel personnage existe et qu'on en parle de façon aussi ouvertement admirative et péremptoire. Que personne ne semble se méfier des cancans. C'était comme si, pour la plupart des gens dans la région, ne pas savoir qui était Jacques Prud'homme, et surtout, ne pas se soumettre au mythe, correspondaient à ne pas reconnaître les différentes formes que prennent les nuages quand on les regarde. Encore là, je ne suis pas comme la plupart des gens et il faut croire que je n'ai pas l'œil très affûté parce que j'en étais au quatrième tarlais que je faisais s'arrêter pour lui demander s'il n'était pas Jacques Prud'homme, par hasard, avant que l'homme en question se tasse sur le bord du chemin pour m'adresser la parole, après que j'eus plané par-dessus son truck.

— Il a peut-être eu un empêchement.

— Mais, c'est vous ?

— Peut-être ben, Walker.

L'été, donc, débuta sur un coup de vent et une confusion qui allaient me suivre pour les mois à venir. J'allais continuer à l'appeler Jacques Prud'homme, et il allait continuer à m'appeler Walker Texas Ranger, et à parler de lui-même à la troisième personne du singulier. Les gens qu'on rencontrerait, dépendant de la cantine, du dépanneur, de l'hôtel de ville, du salon funéraire, de la dompe, de la caisse populaire, du salon de coiffure, de l'abattoir qu'on visiterait, l'appelleraient tous, avec un respect indéniable, capitaine, chef ou *boss*.

Moi, ils m'appelleraient tous «le flo» parce qu'à côté de Jacques, n'importe qui a l'air d'un enfant. Et on allait finir par bien s'entendre après qu'on eut plusieurs fois rasé la mort ensemble, plus tard dans l'été.

Mississippi

Je dis «truck» en parlant de la réguine sous les fesses de Jacques que j'enjambai sur la 227 ce matin, mais ce n'est pas le bon terme. C'est plutôt un assemblage de morceaux d'Econoline, de morceaux de Dakota, de morceaux de Massey Ferguson, de morceaux de ce qui ressemble à une porte de douche en fibre de verre, d'une douzaine de panneaux de signalisation, de quelques bâtons de hockey, d'une porte de frigo, de caisses à lait, de cordes de *bale*. Une véritable courtepointe mécanique. En plissant les yeux, ça commence à ressembler à un camion. Jacques racontait qu'il a fait venir le moteur du Missouri, qu'il n'en existe que trois modèles dans le monde, et qu'avant, il était sur un gigantesque ponton servant à faire traverser les gens, les voitures, les camions et les tracteurs d'une rive à l'autre du Mississippi.

Je lui demandai ce qu'il ferait pour avoir des pièces, si jamais le moteur brisait, il rit une bonne demi-heure – assez longtemps pour que je devienne mal à l'aise et que j'arrête de parler, parce qu'à chaque nouvelle chose que je disais, il se remettait à rire et m'interrompait. Au bout d'une heure à ne plus trop y penser, visiblement, il me donna une réponse :

– Avant que ça pète, mon homme, il va pleuvoir assez pour inonder la moitié du Québec, tabarnanne. C'est fait par des astronautes pour des soldats-robots. Ça peut survivre à une attaque nucléaire sur la planète Marx.

Il marqua une pause, peut-être en supposant que j'essaierais de répondre quelque chose. Je vis tout de suite qu'il était pleinement conscient des effets de ce qu'il venait de dire. Jacques est ce genre de bonhomme qui dit toujours « Veux-tu, Jacques va te le dire pourquoi ? » et « Pourquoi, tu penses, que c'est comme ça ? », sans laisser l'autre répondre. Il y eut un silence dans la cabine, je regardai le bord de la route, on approchait Pigeon Hill.

Jacques espérait un « Ben, voyons donc, Jacques. » Et en constatant que je ne planifiais pas le lui donner avant la fin du monde, il enchaîna :

– Avant que ça pète, il va te pousser une corne dans le front, des ailes dans le dos, une queue dans le cul et tu vas vouloir qu'on t'appelle Maurice Richard.

À l'entrée de la ville, j'aperçus la pauvre mouffette écrasée devant une ancienne station-service. J'enfilai mes gants que j'avais accrochés à la manivelle de mon châssis et j'attendis que le camion soit complètement immobile pour débarquer. Il fallut que je gratte un certain temps pour décoller l'espèce de crêpe en chair sous l'échappement du camion. Parfois, le fait de rouler sur l'animal écrasé avant de le ramasser facilitait la tâche, essorait l'objet une bonne fois pour toutes. Jacques me suivit tout le long, sans dire un mot, comme pour superviser l'opération. Les mains sur les hanches, il ajouta, avant qu'on retourne dans la cabine :

– Walker, la seule fois où il a pensé que, peut-être, le moteur était brisé, Jacques a fait le tour de la machine quatre ou cinq fois par en-avant par en arrière d'un bord de l'autre, envoueille donc, au-dessus en dessous, pour se rendre compte que c'était juste le *chili con carne* qu'il venait de manger qui le faisait turbuler du bedon.

Pour le reste de notre périple professionnel, je me le tins pour dit : Jacques Prud'homme n'est loquace qu'à propos d'une chose, son truck.

Quand j'embarquai pour la première fois dans le camion, je pensais grimper sur une moissonneuse-batteuse. Les sièges du passager et du conducteur étaient séparés par un meuble à tiroirs avec plusieurs compartiments, les ressorts de mon siège semblaient inexistants et j'avais le tableau de bord à la hauteur du menton. D'une main, entre deux de ses énormes doigts, Jacques me tendit deux bottins téléphoniques qu'il avait sortis du meuble. Je pus les empiler pour m'asseoir plus haut.

Il flottait dans l'habitacle une forte odeur de poussière. Je suis convaincu que si j'avais frappé mon siège, j'aurais vu une mini-explosion de particules de sable et de terre. Le truck de Jacques sentait la vieille paire de gants de travail : c'est une odeur qui ne pourra jamais me déplaire. Elle parle de job, de muscles et de terre. Elle émane des vêtements de Jacques, comme de ceux de mon père, du père de Valvoline et d'une bonne quantité de bonshommes qui venaient me voir quand je travaillais au Rona et de collègues qui travaillaient chez McStetson Canada inc. Je suis convaincu que des hommes outrevirils et jobbeurs comme Babe Ruth, Maurice Richard, Woody Guthrie, Marlon Brando, Bruce Springsteen, Roy Dupuis, Tom Selleck et Jos Montferrand sentent ou sentaient régulièrement comme l'intérieur du truck de Jacques. Si les compagnies de parfum prenaient deux minutes pour réfléchir à ce qui représente le plus la virilité, ils ne gaspilleraient pas autant d'énergie à produire des liquides ultra-odorants, des variations sur une Aqua-Velva haut de gamme. Ils embouteilleraient le nuage de poussière qui surgit quand on frappe le siège d'un truck de jobbeur. Jacques prit la direction de l'est et bifurqua avant d'arriver au Shell de Saint-Ignace, sur le rang Saint-Joseph.

En marche, le moteur est étonnamment silencieux. On n'entend qu'un bourdonnement qui pourrait venir des profondeurs du centre de la Terre, qui pourrait réveiller des volcans, et qui pourrait nous accompagner toute notre vie sans qu'on s'en aperçoive, tellement il est subtil. J'ai travaillé un été au Zoo de Granby, en tant que préposé à la sécurité. Je me tenais droit toute la journée, devant l'une des entrées du parc, pour vérifier si les gens avaient bien payé leurs droits d'accès, ou bien je me promenais avec un pic dans une main et une chaudière dans l'autre, pour ramasser les bouts de papier, les sacs de chips, les casseaux de frites, les cartes du site, les droits d'accès déchirés, les couches de bébé, et toutes sortes d'autres affaires innommables, partout sur le site. Un jour, j'appris que pour communiquer entre eux, les éléphants émettent des sons si graves que l'oreille humaine ne peut pas les capter. On appelle ça des infrasons ; j'imaginais plutôt des tremblements. Le camion de Jacques émet quelque chose qui doit s'apparenter à un infrason. Il grogne, il gronde, il fait vibrer quelque chose en nous qui ne vibre jamais en temps normal, tellement jamais que personne n'a pensé nommer cette chose ni n'a réussi à trouver son emplacement exact dans l'anatomie humaine. Peut-être qu'il y avait un temps où on pouvait capter les infrasons et que les éruptions volcaniques, les tremblements de terre et les éléphants ne renfermaient aucun secret pour l'homme.

On suivit le rang Saint-Joseph pendant quelques minutes pour ensuite s'arrêter devant une maison de prestige. Là, Jacques m'ordonna de rester dans le truck tandis qu'il sortait pour ramasser un pauvre raton laveur qu'il avait remarqué dans le plus creux du fossé. Bizarrement, l'animal avait la tête complètement rentrée dans le tuyau de la calvette, sous l'entrée de la cour de la maison. Il se cachait comme s'il ne voulait pas voir le soleil se lever avant de mourir. Parce qu'on soupçonne que ça s'est produit durant la nuit, qu'une voiture s'est faufilée dans la noirceur étrange de cette partie du rang – si on est motivé, on imagine même un léger brouillard qui flotte au-dessus du sol – et qu'elle a simplement fauché le raton du coin du pare-choc. On voit ensuite l'animal débouler dans le fossé et ramper jusqu'au tuyau. Je dus m'efforcer de penser au hockey, au meilleur poulet rôti de la région, au soleil de canicule quand j'étais petit et que je jouais au soccer, parce que l'image de cette bestiole traînant sa carcasse comme un sac d'os jusqu'à un endroit sombre et clos me parut insupportable. Jacques ramassa la charogne et jeta un coup d'œil dans la calvette. Il lança le raton dans la boîte du camion et s'arrêta devant ma fenêtre avant de reprendre sa place au volant.

– As-tu vu sa tête dans le tuyau ?

– Comme s'il se cherchait un cercueil.

Je me souvins alors de ma mère. Elle conservait toujours, dans le placard de l'entrée, une grosse tuque de laine qu'elle portait quand elle avait des maux de tête. Elle s'emmitouflait le cerveau, comme elle disait, même en plein été. J'avais déjà été gêné parce qu'on était à l'épicerie de Granby et elle avait commencé à avoir des douleurs derrière les yeux. Elle avait alors supplié une femme qu'on ne connaissait pas de lui vendre le foulard qu'elle portait avant que ses yeux sortent de leur trou pour rouler jusqu'aux caisses. La femme avait accepté de lui donner son foulard, probablement parce que l'image des yeux de ma mère roulant sur le sol l'avait rebutée. Après que ma mère se fut enrubanné le crâne, on avait continué de faire les courses en marchant très lentement.

Quand il redémarra le moteur, la radio du camion se fit entendre dans tout l'habitacle. Il devait y avoir une connexion précaire dans le filage parce que la radio sembla fonctionner aléatoirement tout l'été. Un standard jazz big band s'acheva pour laisser les ondes à Rainier Hamilton, un annonceur-culte, dans la région, dont je n'avais que très peu entendu parler – mais qui deviendrait important durant le déluge, diffusant de l'information au sujet des événements, au rythme où il la recevait. Maurice l'écoutait régulièrement et j'entendais toujours les trompettes criardes en provenance de son salon, juste au-dessus de ma chambre. On disait qu'il avait quitté une station de radio du Vermont pour fonder, dans les Townships, sa propre chaîne de musique des années 1930, 1940 et 1950. Hamilton était un nostalgique fini appartenant à une autre époque. Il avait trouvé de vieux enregistrements d'annonces publicitaires radiophoniques qu'il diffusait entre les chansons et ses propres interventions. À l'écouter, dans cette réguine préhistorique, je me sentis tout drôle. Quand je balayai le truck de Jacques, l'écran de mon lecteur optique m'envoya chercher un gallon d'eau de Javel La Parisienne.

Je me souviens qu'en voyant l'aspect délabré, bric-à-brac du truck de Jacques, je me demandai quelle serait la première chose que je ferais si je savais voler jusqu'à trois mille kilomètres-heure, et survivre sous n'importe quelle pression atmosphérique. J'aurais le choix entre avoir des ailes ou simplement voler spontanément, sans costume, sans appareil spécial : que choisirais-je ? Voudrais-je un

costume flamboyant, avec paillettes, cuirette, couleurs, etc.? Je me posai la question parce que je
comprends le désir d'extravagance : un contenu
extraordinaire devrait être dans un contenant tout
aussi incroyable. En quelque part, quelque chose
me dit que ce ne serait pas tout à fait suffisant de
voler simplement, sans explosion, sans tissu mirobolant, sans mécanisme mystérieux. J'aurais peur
que les gens ne réagissent pas, qu'ils me voient arriver par le ciel, sans plate-forme, sans fil, sans na-
celle, et qu'ils choisissent de m'ignorer. Un costume
merveilleux bonifierait peut-être l'expérience, de la
même manière que certaines personnes qui ne
prennent pas souvent l'avion vont choisir leurs plus
beaux habits pour voler, même s'il n'y a rien de
chic à l'idée de se clouer à un siège à demi confor-
table dans un espace clos pour trois à six heures.

Dans la journée du 20 juin, on passa au Shell de
Saint-Ignace, où je retrouvai Valvoline qui y travaillait comme pompiste. Contrairement à son habitude,
elle avait une attitude nonchalante et distante qui
soulignait à la fois la complicité déjà bien établie
entre elle et Jacques, et peut-être une volonté de me
montrer comment elle pouvait être « professionnelle » et « sérieuse », aussi. Elle lui offrit une pile
de papiers sur lesquels elle avait noté l'emplacement de différentes charognes à travers la région.
J'étais intrigué.

– Est-ce qu'il y en a toujours autant ?

– Ça dépend des semaines, mais ça ressemble toujours à ça… Il paraît que sur le chemin Favreau, à Dunham, il y a le plus gros raton laveur que t'auras jamais vu.

Elle prit ensuite un air moins sérieux en remarquant le lecteur optique et l'écran à mon poignet. Elle sourit et me fit un clin d'œil.

– Ça scanne-tu encore pas mal ?

– Pas pire. Je dois être à peu près à quatre ou cinq mille affaires de répertoriées.

Jacques se tourna vers moi et ne sembla pas comprendre. Je lui fis une démonstration en balayant ma paire de gants avec le lecteur. L'écran me demanda d'aller à la rangée R-28 pour y prendre une dizaine de rouleaux de ruban adhésif Transpore 3M d'un centimètre et demi, mais Jacques ne fut pas impressionné. J'arrive d'ailleurs très mal à déterminer ce qui m'épatait à ce point de ce phénomène. Ça devenait une sorte de geste compulsif, je passais les objets au lecteur optique comme on lance une roche dans l'eau : on est toujours intéressé par l'endroit où elle touchera la surface, on regarde toujours sa trajectoire. On reprit la route après avoir salué Val, et Jacques me donna la dizaine de papiers en me demandant d'y mettre de l'ordre, question de limiter les allers-retours.

« Sentimental Journey »,
Les Brown & his Band of Renown

*O*h, nostalgie, Sentimental Journey, *qu'est-ce qu'on fait avec ça aujourd'hui ? Il n'y a rien de plus dangereux que la nostalgie, mon cher. À mon âge, et avec mon show, ça doit sonner terrible que je dise ça. Tu te diras probablement que je suis fou dans la noix de coco de dire des choses comme ça à la radio. Je suis le pire nostalgique de ce côté-ci de l'océan. Mais, je crois que mon type de souvenir n'est pas dangereux comme le tien. Je donne aux gens des opportunités de voir le monde d'avant. Mon émission, ma musique, ne sont que des fenêtres ou des vitrines dans un musée. Tu voudrais que le progrès arrête. Qu'on puisse revenir en arrière. Tu te demandes « Why did I decide to roam ? » comme si ce n'était pas dans ta nature même de dériver. Je veux souligner le fait qu'il n'arrête jamais. Le progrès. Qu'on ne fait qu'errer, éternellement.*

Mon grand-père – que Dieu le bénisse, il avait un cœur de chêne – a perdu un bras à l'âge de trente-cinq ans. *Il réparait quelque chose sur un tracteur. Je ne connais rien à la mécanique, alors je me contenterai de dire qu'il a échappé un outil dans le moteur. La chose suivante qu'il a sue, c'est que son bras était au sol à côté de ses bottes. Mon père a alors trouvé son propre père inconscient à côté de l'engin. Heureusement, il a pu le réanimer en attendant l'arrivée d'un médecin. Bon, faisons une histoire courte, trente-cinq ans plus tard, mon grand-père est un homme fier. Il a travaillé doublement plus fort parce qu'il lui manquait un bras. Mais il a pu léguer une ferme en bonne condition à son fils. Sauf que le jour où meurt sa femme, ma grand-mère, il y a quelque chose de bizarre qui se produit avec son côté amputé. Tout à coup, ça prend vie. Grand-papa a ce qu'on appelle un membre fantôme. Ça lui fait ressentir la présence de son bras, comme s'il n'avait jamais été arraché par la courroie de moteur du tracteur. Pour la première fois, trente-cinq ans après l'accident, le bonhomme se met à sentir des chatouillements, des frissons, des pincements à l'endroit où sa main et son bras auraient dû être. Quand il se force, en écoutant mon émission, il peut même avoir l'impression qu'il plie les doigts de son membre fantôme, comme s'il suivait sur un piano fantôme les notes de ce que je fais jouer.*

Ma famille est profondément troublée par le phénomène, mon grand-père le voit comme une greffe. L'apparition du membre fantôme l'aide à traverser le deuil de son épouse. Parfois, il se laisse croire que sa femme est au bout du bras, et qu'elle lui tient la main comme quand ils étaient encore un jeune couple. Il perd sa femme et retrouve son bras. Le membre fantôme n'est pas un symbole de nostalgie. Il est une sorte de force qui le pousse à aller de l'avant, à vivre. Un mémorandum.

Il est onze heures et quart, il nous faudrait plus de soleil avant la fin de juin, mais what're you gonna do? *Essayons d'ensoleiller la journée avec une belle pièce de piano qui saura certainement faire plier des doigts fantômes dans la région de Saint-Armand. C'est Willie Smith avec ses bouleversants « Echoes of Spring ».*

Multiples

Voici ce que tout le monde sait au sujet de Jacques Prud'homme : on l'aura peut-être déjà compris, il est une légende dans le tout-Brome-Missisquoi. Son nom figure en lettres attachées sous chaque viaduc, sous chaque pont, enfin sous chaque structure en béton de la région. Quelqu'un sillonne les villages depuis qu'il est tout jeune pour repasser par-dessus les lettres qu'on aurait effacées ou que la pluie aurait lavées, avec un morceau de charbon, de sorte que personne ne l'oublie. La directrice de l'école primaire Sainte-Famille, à Granby, était une *fan* finie et lui vouait un culte semi-érotique : chaque année, les enfants du deuxième cycle avaient comme projet de compiler les récits qui circulaient au sujet de Prud'homme, pendant que les jeunes du premier cycle devaient tenter d'en faire le portrait, en fonction des descriptions que la directrice leur donnait. Même les plus réalistes le dessinaient comme un géant disproportionné et monstrueux, certains lui faisaient cracher du feu, d'autres le faisaient voler. Il faut croire que les véritables héros n'ont rien de titanesque, qu'ils sont plutôt des gens très ordinaires qui nous rappellent autant les images qu'on a gardées de notre père que celles des gars que les policiers prennent en photo pour diffuser des avis de recherche sur les chaînes de télé américaines parce qu'ils ont volé un facteur ou battu un commis de dépanneur, ou encore que le portrait vaguement sympathique des joueurs de hockey au verso des cartes qu'on collectionnait quand on était enfant.

En ce qui concerne Jacques, en plus d'être arrivé à battre des records dans tous les sports connus, sa renommée tient surtout de sa capacité à se démultiplier. C'est-à-dire que, comme le veut la légende, un groupe de garçons pouvait l'apercevoir sur un terrain de balle-molle de Bedford décochant exactement trois-cent-trente-huit balles consécutives en tenant le bâton d'une seule main et – ici, le récit change selon le conteur, et selon la cantine qu'il préfère – en bouffant soit un sous-marin mexicain de chez Barry, soit une guedille de la cantine du dépanneur Visez Juste. Et, en parfait simultané, un groupe de jobbeurs sortait du bar du parc Dubuc, à Granby, pour le surprendre à botter un ballon de soccer très précisément de l'autre côté de l'aréna Léonard-Grondin, à l'endroit où la zamboni dompait habituellement son surplus de neige, en ne prenant qu'un seul pas comme élan, et – encore là, il faut se le faire conter par chacun des jobbeurs pour constater l'infini des possibles narratifs – en retenant son souffle depuis cinq minutes, en rotant le *Ô Canada*, en hurlant si fort que les clôtures du parc Dubuc s'étaient toutes défrisées, en se déchaussant et se rechaussant en plein élan, en buvant d'une traite un gallon de vinaigre, ou en peignant une toile impressionniste, floue parce qu'elle avait été peinte beaucoup trop rapidement, représentant l'événement. Puis, exactement en même temps, des centaines de gens, à des centaines d'endroits différents, s'émouvaient à voir des centaines d'exploits sportifs, agricoles ou physiques différents.

À Cowansville, il y avait un restaurant de spécialités bernoises, dont les serveuses suisses-allemandes avaient toutes un grain de beauté de la taille d'un cloporte en quelque part sur le visage ou dans le cou – c'était à croire qu'elles s'échangeaient le même grain de beauté en se croisant dans la cuisine avant de retourner sur le plancher, comme une espèce de *gimmick* de resto que le gérant les obligeait à honorer. Il n'y avait qu'une seule toilette dont les murs étaient recouverts d'immenses miroirs. À gauche, à droite, en avant, en arrière : tu t'installais pour pisser entouré de miroirs.

Il faut voir les multiples – les infiniment multiples – doubles comme toutes ces réflexions de soi

dans la toilette du Chalet Bernois de Cowansville ;
l'univers comme étant dans une grande pièce ayant
une quantité infinie de murs, de plafonds et de
planchers, tous recouverts de miroirs – une sorte
de boule disco géante introvertie.

Le problème avec Jacques Prud'homme, c'est que
dans le folklore de la région de Brome-Missisquoi,
il est arrivé à condenser quelques centaines de doubles dans un seul reflet du miroir, dans un seul univers. Il y a évidemment de quoi créer des légendes.

Je passai pourtant tout ce temps, jusqu'au déluge, à ne voir pratiquement qu'un seul Jacques
Prud'homme : celui qui travaillait avec moi.
L'ombre du Jacques Prud'homme des légendes, ou
les infiniment multiples ombres de celui-ci semblèrent toujours nous précéder.

– Il s'est construit une trentaine de tunnels
dans le mont Yamaska, hier soir. Ça ressemble à un
fromage suisse.

– C'est drôle que tu dises ça, ma fille m'a dit
qu'elle l'a vu hier, justement, en train de faire des
sandwichs au jambon pis au fromage suisse, chez
Barry, à Bedford. Pour moi, il filait emmenthal.

– Plus débile mental, oui.

Ici, il faisait semblant de ne pas entendre la
discussion des deux jobbeurs assis directement
derrière lui, à la Pataterie de Shefford. Là, il riait
quand les gens lui adressaient la parole en faisant

allusion à un exploit récent. Évidemment, puisque nos échanges se limitaient souvent à des banalités du moment, je n'eus pas la possibilité de lui soutirer le moindre indice qui puisse prouver la véracité des cancans : c'était une légende, après tout. Le seul élément de preuve que je trouvai, c'est le fait que, parmi ces rares fois où j'avais l'audace de passer Jacques Prud'homme sous l'œil de mon lecteur optique, chaque fois un nouvel item apparaissait. Comme si lui aussi, il se renouvelait perpétuellement. L'écran me demandait toujours une quantité différente d'items situés dans une autre section que l'item précédent, dans l'entrepôt de McStetson Canada inc. Avec Valvoline, par exemple, j'obtenais toujours le même résultat : rangée I-8, douze boîtes de soixante feuilles assouplissantes Bounce, odeur de lavande. Pour Jacques, je notai, chaque fois, le nombre, l'item et l'emplacement qu'affichait l'écran, et ne remarquai aucune constante, aucune logique apparente dans les données.

Voici maintenant une suite de faits au sujet de Jacques Prud'homme, tel que Valvoline et moi avons réussi à nous le représenter : il patine sur la bottine ; il n'a rien contre le végétarisme ; son père et sa mère s'aimaient énormément, il n'a aucun mauvais souvenir d'eux et leur rend visite régulièrement ; il préfère toujours, immanquablement, l'enveloppe à l'œuf ; il n'en peut plus d'attendre l'invention des puces électroniques qui pourront être insérées dans l'oreille d'un individu et qui enregistreront toute la musique qu'il entend – il espère que la puce pourra mesurer les signes vitaux et l'activité cérébrale pour qu'à la mort de l'individu, ses proches puissent faire imprimer une liste des titres entendus, et établir une sorte de trame sonore de sa vie en fonction des pointes d'émotion et d'excitation compilées par la puce; il a déjà rêvé qu'il rentrait travailler dans un bureau où l'unique activité était d'écouter les gens se raconter leurs rêves respectifs de la nuit précédente; si ce n'était de sa vingtaine d'années de plus que moi, qui lui donnent une espèce de condescendance nonchalante, on serait des jumeaux cosmiques tellement on est souvent d'accord; il n'a pas vraiment de couleur préférée mais il est passé très proche d'être daltonien puisque sa mère, sa grand-mère et son arrière-grand-mère maternelles portaient toutes le gène; il vit une réelle passion pour son métier et considère qu'il est aussi indispensable pour une société qu'un policier, un pompier, un médecin et un éboueur; il chante bien mais il justifie toujours son retrait, lors de partys karaoké, par le fait qu'il n'a pas ses lunettes de lecture; une fois, quand il avait quinze ans, à la plage du lac Stukely, un homme dans la quarantaine l'a bousculé et a voulu se battre avec lui: l'homme ne portait qu'un maillot de bain, était très costaud et avait une peau tellement blême qu'elle ressemblait à celle d'un poulet cru.

Je pus le regarder ramasser une douzaine de charognes dans différents coins de la ville, pliant les genoux et lâchant un soupir énergique en se relevant, Jacques n'avait vraiment rien d'héroïque. Je le vis effectuer le même genre de mouvement dans son salon pour ramasser une miette de biscuit soda ou dans sa cour pour arracher une mauvaise herbe. Dans ma tête, il n'avait jamais fracassé de record sportif : il nettoyait sa piscine, il démontait son abri Tempo, il chauffait un tracteur à gazon dont il aiguisait régulièrement les lames.

Le soleil de cette première journée était éblouissant mais j'aurais dû être plus attentif à certains signes. Partout où on allait, toutes les vaches que j'aperçus étaient couchées – des îles blanches et noires dans l'herbe ondulante des champs.

Charognards

« R oï ! Roï ! Roï ! Longue vie aux Charognards ! » C'est ce que je pus lire sur le
panneau à roues placé en diagonale sur la pelouse
du terrain de l'Exposition, juste devant la salle communautaire et en face du Métro Plouffe, à Bedford,
le soir du 20 juin 2005. Ce soir, à la fin de ma
première journée de stage, Jacques me fit asser-
menter et j'assistai aux cérémonies de célébration
du vingt-cinquième anniversaire d'existence des
Charognards.

Certaines lettres de plastique, sur le panneau,
vibraient faiblement dans leur fente, ou se tenaient
sur le cant, coincées parce que le commis de chez
Joe Loue-Tout avait visiblement voulu tourner
les coins rond et en avait glissé quelques-unes de
travers. Ce n'était apparemment pas au-delà des
moyens de ce commis de travailler en cochon, mais
plusieurs, à la réunion pour fêter le quart de siècle
des Charognards, l'avaient félicité d'avoir trouvé

trois *i* avec des trémas pour reproduire le cri traditionnel du groupe.

L'organisation des Charognards est née des poussières d'un autre groupe, les François-Trudel, nommé en l'honneur du fondateur de la Guilde des équarrisseurs de Brome-Missisquoi et voué à l'organisation de rencontres mensuelles entre les équarrisseurs pigistes de la région, dans les années 1950, pour échanger des histoires et discuter des développements de l'industrie – les nouveaux virages en vogue pour la charogne, les nouvelles sortes de paires de gants ou de manches de pelles ou de sacs de poubelles, il y avait parfois même la lecture d'un horoscope d'équarrissage, que l'on ne faisait en fait qu'emprunter au dernier numéro du *Flux régional* – un journal de Granby. Avec l'arrivée des multinationales comme Sanimal et Brugessen Roadkill International, à la fin des années 1960, en même temps que les Américains touchaient le sol poudreux de la Lune, les François-Trudel avaient dû cesser de se rencontrer.

L'assermentation dura quelques minutes, durant lesquelles on me résuma la raison d'être de l'équarrisseur pigiste : « On a souvent l'impression que la route a toujours existé, qu'elle a poussé là comme un bosquet ou une colline. Que tout ce qu'il faut faire, c'est de la réparer, de remplir ses trous, de la déblayer, de l'agrandir. Elle nous apparaît comme une rivière qu'on décide de suivre ou de remonter. On pense rarement à ce qui s'est fait abattre, émonder, creuser, concasser, piétiner, aplatir, détruire pour céder place au zéro trois quarts et à l'asphalte chaud qui sont étendus dessus. La charogne nous rappelle qu'avant d'y avoir une route et des dix-roues, des gars sur le pouce, des cantines roulantes, des maisons mobiles, des pancartes d'agents d'immeubles et des sacs en plastique pris dans les clôtures en barbelés, il y avait un bois ou une clairière ou un ruisseau. La charogne est là pour nous ramener dans la nature, et l'équarrisseur pigiste doit en être conscient. »

Globalement, j'étais d'accord, même s'il me semblait que ça versait dans le sentimental et la nostalgie. Et s'il y a une chose qui me fend le cul dans la vie, c'est bien la nostalgie. Ici, ça frôlait la nostalgie précivilisation, prérévolution industrielle, préautomobile. L'homme ne fait qu'un avec la nature, l'homme doit être reconnaissant de ce que la nature peut lui offrir, respecter la terre nourricière, etc. Je perdis toute trace de Jacques Prud'homme au milieu de ce premier discours. Je cherchai sans bouger, mais il était introuvable. Avait-il quitté les lieux ?

Ce qui se passa par la suite demeure, à ce jour, parmi les choses les plus étranges que j'aie vécues. Pendant qu'une trentaine d'hommes vêtus de chemises carreautées et de pantalons Big Bill délavés m'entouraient en produisant de drôles de bruits – on aurait dit qu'ils prononçaient la lettre *n,* toujours sur le même ton, en soufflant fort par les narines : ils étaient frénétiques. Ils tapaient le sol avec leurs pieds de façon très monotone, mais persistante. Un des hommes m'avait morvé dessus et ne s'était même pas excusé. Donc, pendant qu'ils se tenaient tous autour de moi, un vieux dénommé Wilhelm Kaiser retenait mon attention en me détaillant ce que c'était que d'être une charogne, sous prétexte qu'il fallait en être une pour en ramasser une. Je me dis alors tout de suite que ça expliquait pourquoi, toute la journée, Jacques avait insisté pour que je reste assis dans le camion alors qu'il sortait pour ramasser les deux ou trois carcasses qu'on avait trouvées.

Le visage du vieux routard était tellement ridé qu'on pouvait y lire des phrases complètes écrites en lettres attachées. Et, au fur et à mesure qu'il parlait, je devins convaincu que les phrases se modifiaient au rythme de ce qu'il disait. À un moment donné, je suis convaincu d'avoir lu «l'arbre a porté ses fruits» et ensuite, je lus «reste où tu es». Chaque phrase laissait l'impression de renfermer un sens secret, une charade qui se dessinait sur le visage de Kaiser comme sur un écran d'ordinateur. «Le vent pousse l'homme.»

L'idée étant de me mettre à la place d'une charogne, il me décrivit la mort d'un animal en jonglant maladroitement avec les mots et en changeant constamment de registre – de la prière chuchotée au lyrisme d'un *preacher*, du trémolo étrange à la quinte de toux verbale – toujours avec une voix de robot, artificielle.

– Ça pue déjà pas mal, mais tu t'en rends pas compte. Ou tu le sais pas, pour toi c'est l'odeur normale. T'es un chevreuil – un cerf de Virginie qu'ils disent. Parce que des chevreuils, au Québec, ferme les yeux pis tu vas en voir autant, y en a pas. C'est en Europe ça, les chevreuils. Toi, t'es un cerf de Virginie. Là, imagine, visualise. T'es un chevreuil dans le bois la nuit – un cerf de Virgile dans le bois en train de manger des feuilles d'arbre, à deux heures du matin. Dans le bois le long de la 227, à Notre-Dame-de-Stanbridge, mettons.

Jusqu'ici, tout allait bien. J'écoutais du mieux que je pouvais, malgré le smog de respiration nasale qui s'approchait dangereusement de mes propres narines. J'aurais aimé envoyer un coup de poing imaginaire, brandir un nunchaku invisible, mais la proximité des Charognards en transe m'en empêchait.

– Pis là, tu pognes un courant d'air qui te dit qu'il y a des pommes sauvages de l'autre côté de la route. Tu vois pas la route encore, mais tu sais que ça doit être l'autre bord. Tu dis à tes frères que t'appelles Hey pis Chose de te suivre. Vous partez en sautant comme des gazelles. Faut que tu plisses les yeux pour pas qu'ils crèvent, meurent, quand tu frôles les branches d'aubépine. À droite pour pas rentrer dans l'arbre, à gauche par-dessus le ruisseau. Les deux autres gazelles – les deux autres chevreuils de Virginie – te suivent.

Deux Charognards que je ne voyais pas se placèrent derrière moi, de chaque côté, et simulèrent des bruits de sabots de chevreuils sur le sol en rythmant leurs *n* pour qu'ils aient l'air légèrement décalés. Ils voulaient probablement créer un effet de mouvement en valsant près de mes oreilles. Plus tard, avec Valvoline, on rirait du fait que Kaiser avait pris la peine de baptiser les deux amis du chevreuil Hey et Chose.

– Si on calcule qu'une stépette, c'est cinq pieds, le fossé juste avant la route est à une demi-douzaine de stépettes, à peu près. Mais là, imagine, concentre-toi, visualise. T'es à une demi-douzaine de stépettes du fossé, tu cours vers la 227. Quand t'approches le fossé, dans ta vision périphérique, tu vois des lumières de truck qui avancent pas mal plus vite que toi. T'accélères, tu penses avoir le temps de passer avant le truck. Mais, PACLOW !

Le bruit retentit dans la salle au complet : tous les Charognards répétèrent « CLOW ! » en écho, et je jure que la vibration de leurs pas sur le plancher de prélart me donna des frissons.

– Là, tu comprends a-rien, les deux grosses lumières viennent de te rentrer dedans comme un éclair, t'as jamais senti rien d'aussi violent. C'est comme quand t'avais foncé dans un chêne l'année d'avant en te sauvant des chasseurs, sauf que là, mets-toi dans la tête que c'est le chêne qui t'a foncé dessus. Pis que le chêne carbure au diesel, qu'il roule à cent dix au moment où il te frappe. Dis-toi que c'est un chêne qui arrive de l'Ontario avec un chargement de poutres, poutres d'acier. Un chêne de train routier, mettons, qui te batte comme une garnotte, qui arrive comme un mur de béton, comme un avion. Bon. Là, t'arrêtes de respirer tranquillement pas vite.

Je pensai un instant à Élisabeth, la licorne du centre d'emploi, et à Valvoline: je fus pris de panique. Je sentais effectivement que ma respiration ralentissait – ou étaient-ce les n muqueux qui s'essoufflaient? On aurait dit que les Charognards rassemblés autour de moi s'approchaient et reculaient aléatoirement. Ça m'étourdissait, jusqu'à ce que je vois, sur le visage de l'un d'entre eux, un air totalement blasé. OK. Ils faisaient ça souvent, c'était une mise en scène, je mordais à l'hameçon. Wilhelm Kaiser conclut:

– Ça fait que t'es pas mal mort quand le soleil se lève, déjà les mouches commencent à s'installer.

Eux autres, c'est comme si elles savaient qu'un jour t'allais finir sur un bout d'asphalte. Depuis que t'es né, depuis ta naissance, ça te tourne autour, ça colle à ta marde, ça te rentre dans les yeux, les narines, les oreilles, je te dis pas quoi d'autre. C'est comme si les criffes de mouches à marde passaient leur temps à vérifier tes signes vitaux. Quand tu les éloignes avec un coup de queue, ou en te branlant les oreilles, elles disent «ah, non les *boys*, pas encore». Une journée au soleil, une bonne grosse canicule, de la chaleur, pis t'es déjà rempli de vers, de larves qui te grugent l'intérieur. Bientôt, on va penser que tu portes un manteau de fourrure, sauf que les poils seraient pas du vison ou du furet ou du rat musqué, ils seraient plutôt des petits vers blancs. Ah, ça perd pas de temps. Des fois, c'est comme si les vers avaient déjà commencé à grossir avant que le chevreuil – le cerf de Virginie – se soit fait rentrer dedans. Là, écoute-moi comme il faut, je vais te dire une affaire. Si on n'était pas ici pour les ramasser, ces bibittes-là, tous les maudits gars de la ville digéreraient pas leurs gaufres en descendant en campagne la fin de semaine.

Durant son sermon, au milieu des n morveux, j'avais balayé plusieurs fois Wilhelm Kaiser. À tout coup, l'écran sur mon bras m'avait demandé d'aller chercher trois cent quarante-quatre caisses contenant, chacune, trois sacs de cinq kilogrammes de sel d'Epsom. Je me suis demandé si l'entrepôt de McStetson comptait réellement toute cette quantité de sel d'Epsom ou si Kaiser n'était pas plutôt en *back order*.

Autour de la table, de façon plus informelle, le groupe m'expliqua que les choses se sont incroyablement complexifiées depuis la maladie de la vache folle, qui aurait vu jour parce que des agriculteurs européens ont nourri leur bétail avec des farines de viande et d'os d'animaux dont les procédés de fabrication et de commercialisation étaient tout croches. L'opération paraissait simple : on conduit jusqu'à tant qu'on repère la bestiole, on la ramasse et on l'emporte jusqu'à un gigantesque moulin-convoyeur qui s'occupe d'en extraire tous les matériaux bruts potentiels. En échange, les patrons du moulin-convoyeur versent des fonds dans les coffres de la ville, de la province et de la nation, en suivant un système ultracomplexe de jetons et de valeurs relatives : en gros, ils calculent la valeur de ce qu'on leur a emporté par rapport à ce qu'ils peuvent en retirer, en identifiant chaque animal à l'aide de codes-barres qu'ils font tatouer automatiquement en quelque part sur la charogne. Quand ils ne trouvent pas d'endroit où inscrire le code-barres, ils posent une étiquette rivetée sur laquelle se trouve le fameux code.

J'imaginai alors le même genre d'usine qui reprend le procédé d'identification pour tatouer les gens à la chaîne. La quantité de Sandra qui veulent un tatouage tribal au-dessus de la raie feraient la file à l'usine de tatouages tribaux de raies de Sandra (l'UTTRS) de Waterloo et la quantité d'Éric qui veulent se faire dessiner une manche de t-shirt en signes chinois iraient à l'usine de tatouages de signes chinois sur l'avant-bras des Éric (l'UTSCABÉ) de Richmond. Il faudrait des mégaplexes seulement pour les tatouages de dauphins sur la cheville et pour les inscriptions en lettres gothiques – la formule poussée à l'extrême voudrait que la personne chargée d'entrer les expressions à tatouer ait une grammaire et un vocabulaire relativement carencés. Avec la riveteuse, on pourrait même avoir des usines de boucles d'oreilles, de boucles d'oreilles sur le nombril, de boucles d'oreilles sur le sourcil, etc. J'aperçus Jacques, parmi le groupe de Charognards assis avec moi : était-il vraiment disparu ou avait-il assisté, tout le long, au discours de Kaiser ? Le sourire plat qu'il affichait ne me disait rien.

Je compris ensuite qu'avec le code-barres sur les animaux, les gens de Sanimal savent que le raton laveur qu'on aurait trouvé noyé dans la piscine hors-terre de Manon Lacasse, à Ascott Corner, leur aurait donné des farines de sang et d'os, de la poudre osseuse, du phosphate calcique, et du gras qui deviendrait peut-être du savon ou du détergent.

– Tu laves peut-être ton linge avec le gras d'une vache de la région.

– Ça contribue à mon rapport au territoire.

– C'est du terroir, ce savon-là !

On espère que la vie après la mort se simplifiera. Qu'on n'aura plus à se diviser en quarante pour le travail, la famille, les amis, le sport, l'épicerie, le virtuel, Internet, les spectacles, le compte en banque. Qu'il n'existera qu'une seule façon essentielle de vivre et que les affaires du corps, de l'âme et de la science ne seront que de vagues souvenirs devant l'espèce de monopersonne que tu seras. À sa mort, le raton, lui, se divise en une quantité de sous-produits animaux.

Les Charognards m'expliquèrent ensuite que la municipalité, la province et le pays paient l'équarrisseur pigiste en fonction de son rendement. La plupart des équarrisseurs dans le monde s'en tiennent au bétail agricole pour faire leur argent, c'est d'ailleurs la forme plus « standardisée » du métier. Mais Jacques dit que depuis l'arrivée de Sanimal et de Brugessen Roadkill International, pratiquement tout le secteur agricole et alimentaire est pris en charge par les sous-traitants des deux compagnies.

Les Charognards se sont donc approprié le marché de la charogne routière.

De toute façon, ce qui attire les gens comme Jacques, c'est moins l'argent que la route. Les équarrisseurs qui font de l'agricole restent accotés sur leur truck en attendant que le petit gars de l'abattoir finisse son travail, ou que les employés de telle compagnie alimentaire lui fournissent les restes d'animaux qu'ils n'ont pas utilisés. Il n'y avait rien de ça pour les Charognards.

– Ce que j'aime, moi, c'est de me déplacer.

– *America* !

– On se déplace, on procède, on incarne le progrès jusque dans notre façon de quoi, déjà ?

– De traverser l'espace-temps.

Avant la fin de la réunion, je pus assister aux multiples *toasts* portés en l'honneur des Charognards et de leurs vingt-cinq ans d'existence. Kaiser, qui connaissait décidément une soirée tout en éloquence, nous avertit des dangers à venir, dans un discours de clôture encore plus confus que celui du chevreuil. Il parla longtemps de la pluie qu'on annonçait pour le début de l'été et d'une prophétie qu'il faisait remonter à François Trudel lui-même. Ce dernier aurait déclaré qu'un déluge majeur raserait un jour la région, qu'il faudrait se méfier des rumeurs, et que la seule issue restait l'entraide et je ne sais plus quel autre concept judéo-chrétien. Bon, en rétrospective, tout ça m'apparaît comme un procédé bien facile: faisons sortir des boules-à-mites une parole prophétique quelconque, mobilisons les troupes par la même occasion. L'allocution fut accueillie chez certains par quelques « Roï ! Roï ! » bien sentis, chez d'autres par un bâillement à peine voilé.

On quitta la salle vers 22 h 30 et pour la première fois depuis très longtemps, je sentis qu'on voulait sincèrement m'intégrer à un groupe. J'eus l'impression qu'à l'inverse de chez McStetson Canada inc., j'avais ma place parmi ces gens. Les Charognards étaient à peine plus de trente en tout. Ils appartenaient à cette catégorie d'hommes et de femmes qui sont avides d'expériences. Je le perçus quand on me questionna au sujet de mon lecteur optique, je pus le passer sur le bras ou la jambe de plusieurs d'entre eux. On resta un certain temps dans le stationnement, rassemblés autour du capot du camion de Jacques, à discuter d'espace et de temps.

— Je me déplace d'un endroit à l'autre, je progresse. Et, un coup rendu, je reviens dans le temps. Je remonte le récit de la mort de l'animal. Je calcule les probabilités de tel événement. Je me fais une petite histoire comme Colombo, ou Matlock:

j'enquête. Je vois le rat mort pis je finis par comprendre ce qu'il a vécu. Je suis monomaniaque, dans le fond. C'est juste le mouvement qui m'intéresse.

– Mythomane euh, maniaque à part ça !

– Le problème avec l'agricole, c'est le côté stagnant de la patente. Les Charognards laissent ça aux autres. Je suis obsédé par le passé pis le futur.

– Physiquement, on se déplace par en avant. Mentalement, on est toujours en train de reculer, de refaire l'histoire.

– C'est le mouvement, dans le fond, qui nous intéresse.

Jacques resta silencieux durant le trajet entre Bedford et Cowansville. Je crois qu'il était satisfait de l'assermentation – quoique je n'avais aucun moyen de lui demander : tout le long du trajet, il marmonnait imperceptiblement. On aurait cru qu'il tenait une conversation avec quelqu'un d'autre, en silence. Avec les Charognards, j'avais visiblement passé le test. Avec Jacques Prud'homme, rien n'était moins sûr. Il me restait encore à ramasser une charogne par moi-même, mais ça ne tarderait pas.

Élan

Chez moi, vers 23 h, j'entendis Valvoline cogner à ma porte. On parla dans le salon. Elle portait un pantalon pyjama et un t-shirt de la quincaillerie de son père, j'étais en shorts de basketball et en t-shirt. Quelqu'un dans la rue nous aurait vus et aurait pensé : «Voilà des frère et sœur dans le sous-sol de leurs parents.» Quelqu'un d'autre aurait aussi pu dire : «Voilà des cousins qui se remémorent de bons moments d'enfance avec du popcorn et du jus d'orange.» Personnellement, tant qu'à ça, j'aurais préféré la version d'une troisième personne qui croirait que Valvoline et moi, on était plutôt un couple en devenir : ils sont des collègues du travail dont l'une n'a plus de logement pour la soirée parce que des exterminateurs ont répandu des produits toxiques dans son domicile. Le gars, en bon gaillard, l'invite alors à dormir chez lui, en s'assurant de souligner l'existence d'un divan-lit qu'il n'utilise presque pas. Ils pourraient manger du mexicain, boire du vin, ouvrir la télé et, qui sait ? peut-être aller promener un chien que le passant n'arriverait pas à voir, à travers les fenêtres du sous-sol.

En réalité, Valvoline n'avait rien de cette fille démunie et innocente : son père l'avait commissionnée de descendre m'offrir des restants de leur souper. Quand elle vit que j'étais occupé à compiler les données que j'avais accumulées dans la journée, après avoir tout balayé au lecteur optique, elle proposa de m'aider. Je lui dictais mes notes désordonnées, elle les retranscrivait dans son cartable de charognes en gloussant à tout bout de champ parce qu'elle faisait des liens imaginaires entre l'objet lu et l'item noté.

— Ha ! Le pare-brise de la Sentra t'envoie chercher du Windex ! C'est malade !

Puis, c'était là, implicite dans ses questions sur ma journée, sur mes tâches, sur le temps qu'il avait fait, les endroits qu'on avait visités : elle voulait que je lui parle de mes premières impressions de Jacques Prud'homme. Je me souviens que ça m'avait paru inhabituel de sa part. Je la croyais incapable d'être groupie de quoi que ce soit, à part peut-être le Korvette, et le grunge qui en 2005 était mort et enterré. Ça m'étonna aussi parce que je concevais mal qu'elle puisse manifester autant d'intérêt pour un homme comme Jacques qui, après une journée à arpenter la région, en dépit des légendes et du folklore local, me paraissait aussi banal qu'un tas de roches. À tout le moins, il n'était pas encore assez mystérieux dans mon esprit pour que la curiosité de Valvoline ne me semble pas un peu exagérée. Peut-être cherchait-elle à confirmer son opinion de l'homme : peu de gens interagissaient aussi quotidiennement qu'elle avec la légende régionale. J'acceptai tout de même de lui livrer ma vision toute fraîche de Jacques Prud'homme.

– Ses yeux sont des billes d'œils de primates, ils sont presque robotisés, comme quand on les voit dans les films.

– Quoi, les gorilles qui ont des yeux trop petits ou un regard trop perçant ? Trop, euh, humain ? C'est toujours cinq fois plus angoissant !

– Oui, et ses mains. En fait, tout son corps me fait penser à, tu te rappelles Mumba, le gorille du zoo ? Il avait peut-être quarante ans et restait souvent pris dans l'espace de béton entre sa cage et la rambarde pour protéger les visiteurs. Jacques me fait penser à Mumba quand je nettoyais les vitres du pavillon africain et qu'il se plaçait à deux ou trois pieds de moi, dans sa cage. Chacun de notre côté de la vitre, on se regardait. Moi, je le fixais droit dans les yeux parce qu'on m'avait dit que si on les regardait longtemps dans les yeux, les gorilles voient ça comme un signe de menace ou euh, d'affront. Ils chargent la vitre ou ils se poussent.

– Est-ce que Jacques t'a menacé?

– L'instant juste avant que Mumba frappe de toutes ses forces sur la vitre, je te le jure, c'est comme «Jacques Prud'homme, sors de ce corps.» De la façon qu'il te regarde toujours sans vraiment te regarder, toujours de biais, comme s'il te voyait en double et choisissait la mauvaise vision de toi-même comme étant la bonne. Tu sens qu'il te regarde, même si c'est jamais directement.

– Woh, c'est Jacques que tu vois comme un gorille ou c'est le gorille qui est comme Jacques?

Sur le divan du salon, elle était assise en Indien et j'aperçus un trou dans son pantalon de pyjama tout près de sa fourche. J'y voyais la peau blanche de sa cuisse et l'élastique turquoise de ses bobettes : ça me gênait extrêmement. Je savais alors que c'était tout à fait son genre de s'asseoir, en toute insouciance, de sorte que je puisse presque voir son entre-jambe. Elle était trop engagée dans la discussion pour même penser au fait que j'étais un gars, qu'elle était une fille, que des gens normaux seraient sur-conscients de la tension qu'instiguaient ce trou, cette proximité. De peine et de misère, en convenant intérieurement qu'elle et moi n'étions pas des gens normaux de toute façon, je pensai au gorille.

– Mumba, lui, décide un moment donné qu'il en a assez de tes niaiseries et frappe un coup de la mort, du revers de la main, sur la vitre pis laisse-moi te dire que c'est une maudite chance qu'elle soit faite pour en prendre, parce que tu sens l'affaire vibrer comme un train : le plancher, les murs, tout bouge. Jacques, lui, on dirait qu'il se tanne plus lentement.

– Ça m'étonne, sais-tu pourquoi ?

– Il est plus impulsif que ça, tu penses, mais non.

– Non, ce qui m'étonne, c'est que tu prennes un exemple aussi exotique. Moi, je l'ai toujours imaginé plus comme un beau gros orignal tranquille. Un gros mâle orignal qui rôde lentement dans le coin et qui touche à tout ce qu'il croise avec son panache large de douze pieds.

J'ignore si c'est pour concrétiser les spéculations du passant de tout à l'heure qui nous aurait pris pour des frère et sœur, des cousins ou des amoureux, mais ce soir-là, Valvoline s'endormit sur le divan en regardant un film à la télé. Elle n'avait jamais fait ça avant, alors je ne savais pas trop si je devais la réveiller. Valvoline, insouciante et excentrique, n'en finissait plus de me surprendre. Éventuellement, elle se lèverait et rentrerait chez elle.

Par contre, durant le temps qu'elle dormit dans mon salon, je restai couché sur le dos, immobile dans mon lit, à fixer le plafond et à écouter attentivement chaque bruit en provenance de l'autre pièce. En quelque part entre mon cerveau et le corps de Valvoline, toutes sortes de minidétonations et de microtempêtes me tenaient éveillé. Je pensai un peu au trou dans son pyjama, un peu à son rire aussi. Le temps ne m'a jamais paru aussi long.

Jerky

Je disais que ma première charogne n'aurait su attendre. Le 21 juin, lors de ma deuxième journée de travail, la première charogne que je dus ramasser ressemblait plus à un morceau de tapis de voiture qu'à un animal mort. J'aurais sans doute dû être touché par l'image, mais j'avoue qu'il devenait assez difficile de se sentir interpellé, d'être empathique ou de voir une connexion entre l'homme et la bête. Enlevons-lui les morceaux d'ongles et d'os incrustés et voilà une *patch* odorante de poils de tapis qu'on trouverait dans n'importe quelle voiture. Comme si quelqu'un s'était tanné de la voir accumuler les petites roches, la poussière et les emballages de gomme, et l'avait lancée par sa fenêtre en conduisant. C'était donc dur de s'émouvoir : il n'y avait tellement plus rien de vivant dans l'image de cette charogne tapissée sur l'asphalte que ça demandait un effort de conscience pour se souvenir même de la mort.

En résumé, mon enquête sur les événements va comme suit : l'animal s'est probablement fait frapper une première fois assez fort pour qu'il s'immobilise en plein milieu de la route. Ça s'est sans doute passé la nuit parce que les nombreuses voitures qui lui auraient subséquemment roulé dessus auraient eu le temps de l'apercevoir et de le contourner durant le jour. Enfin, après quelques heures au gros soleil, la pauvre bête a dû sécher et se décoller de l'asphalte pour dériver vers l'accotement avec l'aide du vent et après qu'un nouveau véhicule l'écrasant partiellement a créé un effet de pichenotte sur sa carcasse.

On était sur la 139 entre Brigham et Adamsville, un peu en dehors de notre territoire habituel, et la bestiole séchait comme du *jerky* depuis au moins deux jours. Jacques m'offrit cyniquement de couper un morceau de ce qui devait être la patte de l'animal pour faire un signet dans mes livres. Je lui dis alors que ça sonnait comme le genre d'idées qu'on suggère parce qu'on le fait soi-même et qu'on se cherche un allié dans l'originalité. Si la bibitte n'avait pas déjà été transformée en plancher de Tercel, elle nous aurait sûrement ordonné de fermer nos gueules ou de lui repasser dessus quelques fois.

Quand on s'arrêta vis-à-vis de la traverse du chemin de fer, au début, je ne remarquai pas la charogne. Elle était couverte de gravier et elle se mêlait plutôt bien au motif uni de l'accotement, en plus de ressembler à l'intérieur d'un char. Jacques coupa le moteur sans rien dire et me regarda de côté, la bouche fermée. Après un moment à fixer la route, réfléchissant à ce que ça devait représenter d'inventer la roue, je remarquai enfin qu'on était arrêté. Je sortis et je vis la crêpe de poils sur l'accotement. Juste au moment où j'allais me pencher pour la ramasser, j'entendis, à deux pouces de mon visage, le klaxon du camion. Jacques sortit un de ses gros bras bruns par la fenêtre et me lança une paire de gants.

On ne niaise pas avec les questions de microbes sur les charognes. J'aurais dû le savoir. Sur le toit de la cabine du camion, il y a un baril rempli de peroxyde dont Jacques s'asperge les mains et le visage à toutes les demi-heures comme une Manon en bikini sortant de sa machine à bronzer pour s'étendre une couche d'autobronzant en vapeur. Salmonelle, *E Coli,* listériose, staphylococcus, clostridium : Jacques déclinait les différents germes pathogènes comme une sorte d'incantation latine tandis que j'enfilais les gants qu'il m'avait donnés.

En lançant la charogne dans la boîte du truck, je sentis pour la première fois l'odeur qui allait me suivre une partie de l'été. Chaque été de ma vie, depuis que j'avais cinq ans, correspondait à une odeur. En commençant par celle de l'étang des voisins à cinq ans, le caca de vaches à six ans, les cheveux de ma voisine quand j'avais sept ans, le gant de baseball à huit ans, mes fausses semelles de rollerblades qui, en même temps, sentaient l'ail et le caoutchouc, à neuf ans. Et ainsi de suite, jusqu'à tant que j'aie des allergies monstrueuses chaque été: de douze à dix-sept ans, l'odeur de l'été est restée celle des mouchoirs. Certaines années, ils sentaient les mouchoirs badigeonnés ou entrelardés d'un produit pour hydrater la peau. D'autres années, ils sentaient les Kleenex nature, ordinaires. À dix-huit ans, mes allergies cessèrent magiquement. C'était l'été de l'odeur de caoutchouc des premières capotes que j'ai utilisées, mélangée avec de la sueur et du déodorant.

Jacques me conseilla de bien retenir cette odeur, d'apprendre à en reconnaître les nuances, de ressentir ses effets du vestibule de ma narine jusqu'à mon lobe frontal. Il voulait que je me laisse imprégner de l'odeur comme si je me trempais la tête dans une chaudière de mélasse pour qu'elle m'enrobe et me remplisse par chaque orifice. Il fallait que je renonce à mes facultés olfactives pour l'été, que je les cède à cet unique parfum chaud et outrefruité de la chair en décomposition dans le gravier.

– Pour être équarrisseur, l'odorat fait partie des plus gros sacrifices.

– J'imagine.

– La seule odeur que tu reconnais, c'est celle de la graisse de patates frites sur les doigts de l'homme qui signe ton chèque de paie à l'hôtel de ville.

À la fin de cette journée, on alla vider notre cargaison au moulin-convoyeur de Sanimal, dans l'espèce de *no man's land* entre Sainte-Cécile-de-Milton et Saint-Paul-d'Abbottsford. Pour empêcher les visites de renards, de coyotes et de toutes sortes de vermines du coin, ils avaient installé des clôtures monstrueuses qui entouraient le territoire comme une paire de bras autour d'un tas de bonbons. J'attendis que personne ne me voie pour envoyer un coup de talon, une sorte de grue de *Karate Kid* renversée que j'avais inventée, à l'endroit d'un nuage de mouches derrière le camion de Jacques. Elles étaient si nombreuses qu'à l'entrée de la cour, un préposé nous avait offert un masque de papier, sur lequel figurait le logo de Sanimal. Jacques et moi avions préféré nos mouchoirs de tissu. Le sien était orné du sigle des Charognards, le mien était rouge et me rappelait les mouchoirs de mon grand-père maternel. Je me sentais comme un bandit dans le Far West.

D'ailleurs, le protocole de sécurité pour pénétrer dans l'usine était compliqué au point où je me mis moi-même à me méfier de ce qui pourrait être caché sous mes vêtements. Ils étaient parvenus à me faire me sentir tellement mal, tellement suspect, que j'offris à Jacques d'aller l'attendre dans le truck, mais il insista pour que j'entre avec lui, sous prétexte que ça faisait partie de ma formation. De toute manière, au point où on était rendus, il faudrait autant de temps pour sortir du processus de vérification que pour y entrer. En premier lieu, on remplissait un formulaire en noircissant des cases sur un carton. Un préposé vêtu d'une chienne et d'un casque en métal passait ensuite ce dernier sous l'œil d'un immense lecteur optique ressemblant au robot qui affronte Robocop – j'imaginai facilement les conséquences d'une mauvaise réponse dans le formulaire : les bras métalliques de la machine se soulèvent et, avec une vitesse artificielle, comme un morceau d'information qui m'arriverait via une fibre optique, m'apprennent que j'ai la gorge tranchée à l'aide de scies en laser placées entre le pouce et l'index de chaque main métallique du mécanisme. C'est pourquoi j'élaborai mentalement un plan de fuite qui impliquait une savate dans le ventre du préposé suivie d'une feinte agile pour déjouer la demi-douzaine de gardiens de sécurité. Jacques me dévisageait sans doute parce qu'il avait constaté mon extrême nervosité.

De son côté, les gardiens semblaient lui administrer les mêmes soins avec beaucoup moins d'entrain. Ils lui parlaient plutôt d'un record de pêche, selon le type d'anecdotes qui commençait à faire légion chez les gens qui adressaient la parole à Jacques Prud'homme.

– Comme ça, Jacques, il paraît que la pêche était bonne hier...

– T'as fait quoi avec tous les poissons ?

– Bah, ça se congèle. Hen, mon Jacques ?

On devait ensuite se placer devant un écran tactile qui lisait et enregistrait nos empreintes digitales. Il fallut s'y prendre à trois reprises pour lire entre les sillons crasseux des doigts de Jacques. On passa sous un nuage de peroxyde vaporisé, on ouvrit la bouche sous le regard outrattentif d'un préposé qui serait le sosie de Christian Slater si ce dernier devait prendre une centaine de livres, et on prêta serment sur un dictionnaire Larousse que la préposée voulait probablement faire passer pour une Bible. De son poste, Christian Slater voulut savoir comment j'avais obtenu mon poste d'assistant à une légende.

– C'était-tu dans les petites annonces ? Genre « Légende locale cherche adjoint » ?

– Je suis allé au centre d'emploi, à Bedford.

– *Oh my shit*, t'as rencontré Élisabeth ?

Il m'expliqua ensuite qu'il avait lui aussi obtenu son emploi grâce à la licorne. Il parla de son cul et de la fermeté de tout son corps en métaphores de viande et ça me donna un peu la nausée. De projeter côte à côte le souvenir bouleversant et mystique de ma rencontre avec Élisabeth et cet employé vicieux d'une compagnie d'équarrissage industriel me troubla. Je lui répondis que je ne croyais pas qu'on parlait de la même personne.

– *Man*, tu sais pas ce que tu manques. De la *fucking* pièce de viande, *oh my shit* !

Quand je demandai à un des gardiens de sécurité, dont l'écusson stipulait qu'il se nommait Fernand, qu'est-ce qu'une usine d'équarrissage renfermait de si précieux qui nécessitait un contrôle des visiteurs aussi élaboré, il me répondit que ça faisait partie du code et que si je n'étais pas content, je pouvais aller manger de la marde, ce qui généra une explosion de rires chez ses collègues. Alors, je lui demandai de quel code il parlait, mais il ne dit rien.

Puis, tandis que je sortais d'une espèce de lave-auto de rayons laser, je racontai à Jacques que le gardien m'avait offert d'aller manger de la marde. Je me tournai vers le gardien et lui expliquai que je n'avais pas vraiment besoin d'*aller* nulle part pour manger de la marde; que techniquement, on la transporte; qu'à moins qu'on insiste pour m'offrir un peu d'intimité, je pouvais manger des excréments *subito presto*. Le gardien nous suggéra d'aller chier et les portes de l'usine s'ouvrirent avant que Jacques et moi, on puisse accepter l'invitation. On comprendra qu'entre les Charognards et les gens de chez Sanimal, ce n'était pas le grand amour.

Oops

Dans l'usine, je fus étonné de constater qu'à l'exception de mon masque de tissu qui me rappelait John Wayne et une combinaison en coton très épais que la plupart des gens portaient, j'aurais facilement pu passer pour un employé de la place. Par contre, le modèle de lecteur optique qu'ils utilisaient semblait complètement désuet – on aurait dit que tout le monde transportait sa boîte à lunch en bracelet – et je m'attirai quelques questions de la part des syndiqués. Quand je leur racontai comment j'avais hérité d'un lecteur optique aussi moderne, la plupart des gens ne voyaient pas l'intérêt de rapporter ce genre d'outil chez soi, de le sortir de son contexte premier d'efficacité et de fonctionnalité, de l'introduire dans un environnement nouveau ou de rompre avec cet ordre. Certains semblaient aussi me mépriser parce qu'on aurait dit que je me vantais d'avoir volé une propriété privée.

Sinon, l'usine ressemblait, en tout et pour tout, à une usine : des structures de métal toujours visibles, des moteurs et des mécanismes de tous genres, un plancher de béton, des airs bêtes, maussades, de la musique en hautes fréquences sortant de haut-parleurs en forme de cônes. Quelques employés affichaient une sorte d'enthousiasme démesuré, un débordement d'entrain qui semblait même agacer leurs responsables de quart. J'imagine que dans une usine où défilent tour à tour les carcasses d'animaux de toutes espèces, l'optimisme peut renfermer quelque chose de pathologique et de troublant. Il s'agit quand même de leur faune : ce sont les tripes d'un chevreuil du coin, les vaisseaux lymphatiques d'une vache de leur voisin, les veines de quelque vermine que leur propre chien a sans doute déjà aperçue et qui se dévident dans la gouttière du convoyeur. Le véritable flux régional circule dans cette gouttière. D'ailleurs, j'étais étonné d'entendre chez Sanimal exactement le même poste de musique FM que chez McStetson Canada inc. – et que dans la salle d'attente du centre local d'emploi, maintenant que j'y pense. Ici, la candeur de la pop me donnait des frissons. Les quelques employés qui sifflotaient l'air de «Oops ! I Did It Again» en triant les carcasses par catégories – équarrissable, non équarrissable, partiellement équarrissable ou malaxable – ne pouvaient être que des psychopathes.

L'odeur avait pris une nouvelle dimension plus chaude et enveloppante, du fait qu'on se trouvait à l'intérieur et que les innombrables machines dégageaient elles aussi une certaine chaleur. La puanteur précise des charognes en décomposition se mêlait aux parfums de poussière, du caoutchouc et de l'huile des engins, au monoxyde de carbone des quelques *forklifts* de la place, et à cet amalgame de sueur et de déodorants dont le degré d'efficacité était visiblement variable. Ça me fit penser au fait qu'aucune odeur ne vient seule, dans la vie. Jacques et moi avions la chance de travailler dans un environnement ouvert. Ces employés devaient rentrer chez eux avec une aura de puanteur pire que n'importe quel parfum unique : ils devaient sentir *la job*.

Valvoline travaillait en même temps que moi au Zoo de Granby, elle était affectée à la cantine. Quand on se voyait, à l'époque, elle me disait toujours qu'elle devait sentir la friture, que ça devait me répugner qu'elle sente autant la poutine, la boulette ou le ketchup. Elle dégageait effectivement une certaine odeur sucrée et vinaigrée. Elle sentait la cantine, mais j'aurais été bien cave de le lui souligner. Je me souviens, par ailleurs, qu'on s'était chicanés une fois lors d'une conversation au sujet du métier d'éboueur : elle disait qu'il paraissait que c'était très bien payé et moi, je lui avais répondu que les contrecoups étaient trop importants pour ne pas mériter un gros salaire.

— Tu passes ta journée à effectuer exactement les mêmes mouvements – ramasse les vidanges en te penchant et en plaçant une main sur le nœud du sac, l'autre main sous le sac, garroche les vidanges dans la bouche du camion, cours vers la prochaine entrée de cour, recommence. Toujours du même côté, dans le même sens, à part ça. Tu dois développer une tendinite généralisée. Tu *deviens* une tendinite.

— Sauf qu'imagine le beau corps que ça peut te donner. Je suis sûre que t'apprends à varier les techniques. T'as genre trois façons de tirer ou de lancer les vidanges en rotation.

— Tu vis avec les différents niveaux de propreté de tes concitoyens au quotidien : il y en a qui font pas de nœud, d'autres qui utilisent même pas de sac, qui font juste tout vider directement dans une poubelle ; il y en a qui pensent que tu vas ramasser n'importe quoi, qu'ils pourraient chier dans une pelle et te la laisser sur le bord du chemin.

— Tu jettes la pelle avec le tas ! *Fuck off* ! C'est tellement facile ! Pas de jugement, pas de questionnement pour savoir s'il faut que tu ramasses l'objet ou non. Pour un aussi gros salaire, je serais prête à en pelleter en sacrament, des tas de marde. À la cantine, je passe une heure à pelleter de la marde et je suis juste moins pauvre de 6,90 $.

– Tu sentirais la job. T'as toujours peur de sentir la job, mais imagine là. Tu passerais ta journée devant une grosse bouche en métal pleine de vidanges à différents stades de décomposition, tapissée de crasse et de jus de poubelle. Tu sens la poutine ou le vinaigre, mais c'est rien à côté de ce qu'un éboueur peut vouloir dire quand il dit qu'il sent *la job*.

– Comme ça, je sens la poutine pis le vinaigre…

On peut facilement voir où s'en était allée la discussion. Je fis toujours très attention, par la suite, de ne pas parler d'odeur ni d'odorat à Valvoline.

Tout ça pour dire que les employés de Sanimal me parurent très tolérants par rapport à l'intense odeur de mort qui les enveloppait. Derrière nous, on les entendait siffler, se conter des blagues et potiner sans trop de gêne à propos de mon collègue, qui semblait tout entendre en souriant.

– Il a fait toute la vaisselle pour la cafétéria du Manoir Sweetsburg, pis en même temps, dans le stationnement, des gars l'ont vu tasser un char pour aider du monde à se stationner.

– Il fait ça, mais qui c'est qui, euh, te dit que c'est pas un lave-vaisselle au manoir ?

– Toi, quand on va vouloir t'entendre, on va te sonner.

– Il l'a fait parce que je l'ai vu la faire. Il prenait les assiettes à l'horizontale, comme ça, avec une assiette entre chaque paire de doigts. Pis il te twistait ça, comme ça, dans l'eau. Jamais vu ça, un plongeur efficace de même.

– *She goes «get me a Maytag, get me a Maytag» I say «what's wrong with this one?» she says «it's not a Maytag, that's what's wrong with this one.»*

– Pis le char?

– Euh, c'est ça, comme un lave-vaisselle Maytag.

Je ne connais pas le nombre de chansons, de films, ou de poèmes d'adolescents outreromantiques qui racontent que la pluie balaie tout et qui en font une métaphore pour l'idée d'un renouveau, comme si la pluie apparaissait d'emblée comme une force purificatrice et javellisante. La pluie le nettoiera, le vent l'emportera, laissons la nature nourrir l'éternel mythe de la deuxième chance. Les gens oublient que la pluie vient du sol et que c'est ce même sol souillé qu'ils aimeraient voir nettoyé : j'ai pour mon dire que de laver un bébé avec sa propre saleté ne le rendra pas plus propre. En fait, ça risque plutôt d'uniformiser la crasse. Et, compte tenu du cycle plus grand dans lequel s'inscrit la pluie, il faut vraiment voir le renouveau comme un déménagement, finalement.

118

La pluie, donc, nous attendait à la sortie de l'usine de Sanimal et ne nous lâcherait pas. On parlait alors des étés merdiques qu'il fallait prévoir dans les années à venir, à cause des changements climatiques, mais ça ne ressemblait pas encore au discours de la fin du monde qui émergea plus tard dans la saison, quand le barrage Choinière céda et que les choses commencèrent leur lente migration vers le sud, transportées par le flot du débordement de la rivière Yamaska jusqu'au lac Champlain. Au début, après un certain temps, la pluie devint un fait indéniable comme le vent, ou les feuilles dans les arbres : on lisait dans les averses quotidiennes un signe d'une nouvelle réalité, on se disait coudon et on tolérait l'humidité excessive. L'imperméable et les bottes de caoutchouc devinrent une seconde peau, et le parapluie, une sorte d'excroissance de la main – j'imaginai un jour que si la pluie devenait vraiment permanente, l'espèce humaine aurait peut-être le temps d'évoluer de sorte que l'un de ses deux bras s'allongerait et reproduirait, à l'aide de longs doigts palmés, la forme du parapluie.

Schnaps

Certaines carcasses furent plus difficiles à ramasser que d'autres. Et je ne parle pas ici du véritable cha-cha-cha que représentait le soulèvement du chevreuil en putréfaction, ou la minutie qu'impliquait le décollage de la marmotte aplatie sur la chaussée. Une partie du travail des Charognards, en plus de devoir arpenter la région en long et en large, du matin au soir, à la recherche d'animaux dont le passage aurait été violemment refusé par la route, consistait à recueillir les dépouilles d'animaux domestiques. Quand les gens n'avaient pas la force ou l'envie de disposer eux-mêmes des restes de leur animal, ils appelaient un responsable de leur municipalité qui ensuite laissait un message dans une boîte vocale à laquelle tous les Charognards pouvaient accéder.

Selon le degré d'investissement du commis de bureau chargé de nous transmettre l'information, on retrouvait régulièrement des minirécits grâce auxquels on arrivait à saisir l'intensité du deuil des ex-propriétaires : « Monsieur Gagné a perdu Garnotte, son poméranien de huit ans, mort de sa belle mort dans le sous-sol derrière le meuble à télé – monsieur Gagné n'a pas osé le déplacer – Chemin Cook, Riceburg », « Francœur, Michèle : labrador noir – Chemin Bunker, Hunter Mills », « Huguette est dévastée par la mort tragique de Mimi, sa chatte siamoise – attention de ne pas lui parler de son voisin d'en face, qu'elle soupçonne d'avoir été celui qui conduisait la voiture avec laquelle l'acte fatal aurait été commis – Mimi est dans une boîte de chaussures devant la porte de garage du 4, rue Best, à Bedford ».

Le plus dur, c'était d'affronter la tristesse profonde de certains citoyens. On sentait parfois qu'on faisait partie d'un rituel funèbre, que pour un moment, on jouait un rôle important dans la vie de ces gens : certains d'entre eux nous offraient de généreux pourboires, d'autres essayaient de repousser notre départ en nous préparant des bouchées ou du café.

Dès ma troisième journée de travail, je me souviens qu'on arriva chez une dame et son mari qui devaient tous les deux avoir plus de soixante-quinze ans et qui, visiblement, se retrouvaient désormais seuls, ayant perdu leur chat quelques heures plus tôt dans un accident plutôt bête. Le chat s'était endormi sous la voiture et ne s'était pas réveillé quand la femme était partie faire des commissions. Elle lui avait reculé dessus avec sa fourgonnette. Les pauvres nous avaient accueillis avec des hors-d'œuvre et du schnaps à la pêche. Ils s'étaient assis devant nous, dans leur salon, comme si on était des enquêteurs et qu'ils devaient nous raconter la façon dont tout s'était produit avant de nous laisser partir avec l'animal. Je me souviens qu'ils parlaient si vite et qu'ils paraissaient si énervés qu'on n'eut ni le temps ni le cœur pour leur expliquer que tout ça n'était pas nécessaire. On se tenait debout devant eux, deux gros bonshommes sales dans leur salon pastel. Jacques dégustait maladroitement les amuse-gueule d'une main, en coinçant la pelle et la paire de gants prévus pour ramasser le chat entre son coude et son abdomen, alors que son autre main serrait l'anse d'une minuscule tasse de schnaps. L'eau et la terre s'écoulant de nos pantalons imperméables faisaient des cernes bruns autour de nos pieds, sur le tapis. Ces pauvres gens devaient penser qu'ils avaient invité deux mammouths à prendre le thé.

— C'était son *spot,* en dessous du char. Je le savais, mais bon, *la fois* où j'ai pas vérifié… Parce que ma plus vieille venait de m'appeler pour m'annoncer qu'elle viendrait souper avec mon gendre, ça fait que je devais aller chercher de la laitue et des tomates, parce que je voulais faire une bonne salade. En tout cas.

— Normalement, c'est moi, qui conduis. Il y a trois choses que je fais, avant d'embarquer dans la machine : je fais le tour, pour voir si les pneus sont pas dégonflés, j'essaie de lever le capot, voir s'il est ben fermé, pis je regarde en dessous pour pas euh, écraser le chat.

— Mais là, maudit, j'étais trop énervée. L'affaire, c'est qu'elle fait jamais ça, ma fille, s'inviter à souper le jour même, comme ça. J'étais pas prête, il y avait plein de choses à faire, fallait encore que... On n'est pas des mauvais maîtres, là !

— On n'est pas des mauvais maîtres. On est juste allés trop vite. Ça arrive, ces choses-là.

J'avais de la misère à décider si c'était seulement notre présence qui les rendait à ce point nerveux et à vif, ou si leur détresse mettait un voile de fragilité sur tout ce qu'ils disaient. Dehors, je vis encore le même regard nerveux sur le visage de la pauvre femme. Elle regardait par la fenêtre pendant que Jacques déposait la boîte contenant leur chat dans le camion. Son regard disait « Non, on n'est pas des mauvaises personnes ! » J'en eus le cœur lourd pour le reste de la journée.

Au fil de nos déplacements, les signes du déluge imminent se multiplièrent mais je ne fus jamais vraiment attentif. Même si Jacques était toujours celui qui me faisait remarquer les anormalités, il les soulignait de façon si anecdotique que ça n'avait jamais de véritable impact. La force du vent allait toujours en augmentant, on le savait entre autres parce que l'angle des gouttes de pluie se faisait de plus en plus aigu par rapport au sol. À un parfait quarante-cinq degrés, je sentis que l'eau de pluie se réchauffait. Bien que je ne sache pas encore ce que ça signifiait, je me souviens que j'en pris conscience en débarquant du camion pour ramasser une marmotte qu'une citoyenne avait laissée sur le bord du rang Sheltus, à Bedford. Le pauvre animal s'était noyé dans son propre trou.

2.

On s'adapte

Soixante-treize charognes

Oh mon Dieu, la journée la plus payante de ma vie m'apparaît souvent aujourd'hui en rêves, par allusions faites par les acteurs de mes rêves, comme une espèce de mirage, un traumatisme, un moment épique qui, dans mon souvenir, est toujours accompagné d'une musique bouleversante ou entraînante, dépendant de mon humeur et de la nature du rêve. Je revis constamment l'événement à travers un montage *cut* des meilleures séquences de la journée et parfois j'y greffe des moments qui sont arrivés plus tôt dans l'été ou quelques années auparavant, à moi ou à quelqu'un d'autre, comme si la journée était à ce point grandiose qu'elle englobait chaque instant individuel d'émerveillement qu'on peut vivre et devenait un fourre-tout de bons sentiments. Soixante-treize charognes en une seule journée, c'est effectivement de l'ordre du grandiose. Je me souviendrai du 25 juin 2005 toute ma vie.

Ça commença par un chevreuil que Jacques, via la magie de son intuition incroyable, avait repéré grâce à une irrégularité dans le motif des quenouilles sur le bord du boulevard Pierre-Laporte, près de Granby : les tiges vertes tombaient vers l'ouest, vers le chemin, sauf à un endroit précis où elles partaient vers le fossé. C'est alors que s'amorça une espèce de rallye involontaire : *soixante-treize carcasses d'animaux* ! On se sentait comme des victimes passives, submergées par le débit de richesses, inondées dans le flot de charognes et d'asphalte défilant sous les pneus du truck – assez ! assez ! c'était trop, on n'en demandait pas tant. Une journée parfaite, selon Jacques, que l'on garde en mémoire comme une torche qui éclaire les jours plus sombres.

À tout moment, dans mon souvenir, j'entends la voix du gars qui fait la narration de bandes-annonces de films américains, il parle par bouts de phrases saccadées, rythmées par l'action et quelques extraits de dialogues. Les images des soixante-treize animaux morts m'apparaissent comme un diaporama de scènes de meurtre, dans les films d'enquêtes policières.

Il y eut les quinze marmottes, dont les deux premières furent trouvées à une douzaine de mètres d'intervalle sur le chemin Dutch, près du Coinchez-Brault, comme si l'une avait choisi de traverser un peu plus loin, voyant ce qui était arrivé à l'autre.

Ou encore, je me demande si les marmottes ne circulaient pas toutes les deux à l'orée du territoire de l'autre, se dévisageant en longeant sa propre frontière jusqu'à ce qu'elles arrivent à la route et qu'une voiture leur roule dessus, les pauvres, de façon consécutive, l'une après l'autre. En les balayant de mon lecteur optique, j'espérais qu'elles m'envoient chercher des produits connexes, comme des ibuprofènes et des acétaminophènes, mais l'écran afficha plutôt deux bouteilles de cinq cent millilitres d'Électrolyte, puis cinq tubes de trente grammes d'onguent analgésique Watkins. On trouva une autre marmotte presque indemne – elle paraissait endormie – sur le viaduc qui traverse l'autoroute 10 à Saint-Alphonse-de-Granby; une autre avait été scalpée par un tuyau d'échappement entre Sutton et Abercorn; un agriculteur de Stanbridge East nous en donna trois qu'il avait ramassées dans la région; et les huit autres furent ramassées un peu partout sur la route, lors de nos nombreux allers-retours.

Je comptai dix écureuils, dont la majorité fut recueillie dans les espaces résidentiels des villes et villages du coin, souvent sous le regard curieux d'un groupe de jeunes enfants qui nous attendaient déjà sur les lieux à notre arrivée, une sorte de comité d'accueil de bottes imperméables, de manteaux et de jambières trop grandes. Ici, je crois que les groupes d'enfants étaient rassemblés autant pour la carcasse d'écureuil que plusieurs avaient visiblement décortiquée à l'aide d'un bâton avant notre arrivée, que pour la possibilité de voir Jacques Prud'homme en personne. Celui-ci avait toujours une attitude très convenable, mais un peu froide. Il n'aimait peut-être pas les enfants. Quand l'un d'entre eux lui demandait de faire quelque chose de surnaturel, il se contentait habituellement de sourire, de ramasser un caillou et de le pulvériser entre ses mains. Bien que le truc marchât à tout coup – les enfants devenaient soudainement très silencieux, certains fuyaient, d'autres étaient visiblement subjugués –, je le soupçonnai d'avoir une poche de ses pantalons imperméables remplie de sable : il n'avait qu'à y plonger une main en ramassant le caillou et à bien orchestrer sa manœuvre. Je me demandai alors si Jacques Prud'homme n'était en fait qu'un magicien, si tous ses exploits légendaires qu'on rapportait comme des faits dans les journaux et le folklore local n'étaient pas en fait qu'une série de tours de magie bien exécutés.

Il y eut aussi huit mouffettes dont la plus odorante se fit sentir à plus d'un kilomètre de distance sur le chemin Beattie à Dunham, près de West Brome. Elle n'était pourtant pas si grosse. D'ailleurs, je suis convaincu qu'il existe, en quelque part, un proverbe, une fable d'un folklore quelconque qui attribue aux plus petites mouffettes les plus fétides parfums – une sorte d'analogue au proverbe qui veut que les petits pots renferment les meilleurs onguents. Parlant d'onguent, ce sont exactement huit pots de cent vingt millilitres de Vick's Vaporub que l'écran à mon poignet m'envoya chercher après que j'eus balayé la mouffette. Elle trônait sur le plus haut point de la colline aux bleuets comme une tache olfactive sur un tableau paisible en aquarelle. Je devinai dans l'excès d'enthousiasme de la Française qui habitait juste en face de l'endroit où reposait la bête un grand soulagement : la nature calme et le paysage idyllique seraient restitués. Elle pourrait dîner en paix, l'équilibre serait rétabli.

Toute la journée, je regardais Jacques et je jure qu'il y avait une sorte de lumière qui émanait de sa peau, un *gloss* naturel qui n'était pas de la sueur, ni du gras, ni de la crasse, il brillait d'une incandescence blanche parce qu'on participait à du surnaturel, on avançait dans le temps avec une force extrême et je jure que je vis quelque chose d'*autre*, pas Dieu mais tout comme, dans l'aura de Jacques Prud'homme, tandis que les charognes s'empilaient dans la boîte du truck. Il me rappela les athlètes qu'on voit accomplir des épreuves extraordinaires – ceux-ci atteignent un état second, une zone où ils deviennent intouchables. Je doute que Jacques eût beaucoup de contrôle sur ces événements, mais il reste que lui et moi étions certainement dans cette même zone.

Il y eut aussi quatre chevreuils à différents stades de décomposition. Comme le premier, on les trouva tous dans le fossé – ce qui me paraît curieux, quand j'y pense, puisqu'un chevreuil ne pèse pas exactement la même chose qu'un tas de plumes, ça prend donc une force d'impact beaucoup plus grande pour le faire voler de la chaussée au fossé.

Ce ne serait pas si alarmant si ce n'était de celui qu'on ramassa tout juste à l'intersection de la route Bunker et de la 202, à Stanbridge East : je jure que ce n'était pas beau à voir, c'était plus laid, en tout cas, que tout ce que j'avais vu jusqu'à maintenant en matière de mort routière. Là encore, une petite foule nous attendait comme on attend les ambulanciers, la plupart du temps – parce qu'ils arrivent généralement de Cowansville, on a le temps d'attirer le regard des voisins autour d'un accident, ceux-ci s'installeront devant le char en feu, ou autour du jeune agonisant sous un arbre à cause d'une jambe cassée, et si rien ne peut être fait pour aider les victimes, ils agiront à titre de témoins-bénévoles pour les ambulanciers en leur racontant, chacun leur tour, ce qui les aura amenés là, en retenant souvent les détails importants au sujet de l'incident, au profit d'un récit plus banal du type : j'étais assis dans le salon, en train de me rappeler la fois où Carole, ma troisième, m'avait demandé de l'aider à choisir son tapis d'entrée, en me disant que ça n'avait pas de bon sens comment elle avait gagné en confiance, ma Carole, quand j'ai entendu un craquement, comme une branche qui casse, dans le sous-bois des Carlyle.

En fait, ce qui attira cette minifoule de Stanbridge East, c'était l'atrocité de la mort du chevreuil : son corps se trouvait dans le fossé du côté nord de la 202, tandis que la tête de l'animal gisait dans les quatre pouces d'eau du fossé sud. Aussi incroyable que ça puisse paraître, l'impact avec ce qu'on devine être un christie de gros camion avait décapité le pauvre animal. Les gens de Stanbridge East n'avaient jamais vu ça. Je supposai que les parents du coin empêcheraient désormais leurs enfants de traverser la 202 à moins qu'ils soient accompagnés d'un adulte ; en tout cas, moi, j'empêcherais mes enfants de traverser n'importe quelle voie routière sans la présence d'un adulte, je leur interdirais même de sortir de la cour sans une sorte d'équipement protecteur et, bâtard, je planterais la tête et le corps du chevreuil sur un poteau à l'entrée du village, juste à côté du panneau souhaitant la bienvenue aux conducteurs, et sous la tête et le corps, je placerais un écriteau sur lequel on lirait « RALENTISSEZ ! » Ce serait probablement plus efficace au début, alors que les morceaux de chair du chevreuil seraient encore intacts, avant que la carcasse se décompose autour du poteau qui la soutiendrait, sans mentionner les urubus qui s'y acharneraient dans les jours suivant l'érection du panneau. On trouva aussi trois ratons laveurs, trois tortues et deux renards : quelle récolte !

Je ne veux pas passer pour un malade mental. J'ai rencontré un gars dans un party qui avouait avoir délibérément tué son chat, quand il était jeune, sous aucun prétexte, par pur ennui ou par manque d'idées. Ça, c'était un malade mental. Il avait raconté comment à onze ans, il avait noyé son chat. Le gars, qui *a priori* semblait tout à fait sain d'esprit, s'était lancé dans le récit troublant de l'assassinat de son chat. Je me souviens qu'on avait tous été mal à l'aise à cause de l'absence totale de remords dans son discours, et la nature très détachée, nonchalante de cet aveu à peine voilé de psychopathie. Le gars riait et il était difficile de déterminer si c'était parce qu'il savait que ce qu'il contait était profondément malsain et il était conscient du malaise que ça provoquait, ou si c'était par une espèce de sadisme encore plus angoissant.

Je ne veux surtout pas être ce gars-là, en énumérant comme un débile les sortes de carcasses d'animaux qu'on a ramassées, Jacques et moi, lors de ce blitz incroyable, mais il reste qu'une sorte de jubilation inexplicable s'empara de nous, vers la vingtième carcasse. Je lançai dans la boîte du truck une tortue qu'on nous avait signalée, près de la piste cyclable, à l'entrée de Farnham, en me demandant ce qui pouvait bien être extrait d'une carcasse de tortue selon les critères de Sanimal. Puis je croisai le regard de Jacques. Il affichait maintenant un sourire béat, aussi perplexe que moi par rapport à cette abondance soudaine, cette nature prodigue qui mourait de concert sous les pneus et contre les pare-chocs comme si ça allait de soi, comme s'il nous était dû un certain nombre de charognes, et l'extrême foisonnement de bibittes mortes sur nos routes était trop antinaturel pour qu'on ressente de la tristesse : c'était miraculeux, on avait l'impression de n'être rien de moins que les premiers témoins d'un événement mythique.

Je trouvais d'ailleurs très déstabilisant qu'un homme aussi stoïque et aguerri que Jacques manifeste autant d'émotion devant ce qui devait pour lui être une autre journée d'exploits surnaturels. Non, monsieur me répondait en souriant, tout resplendissant, quand je lui exprimais mon incrédulité. Une espèce de sourire vide, inaccessible. Soixante-treize carcasses : sincèrement, il n'y croyait pas, lui non plus ? Pensait-il aussi, comme moi, au fait que, si tous les Charognards connaissaient une aussi grosse récolte, le convoyeur chez Sanimal allait certainement être engorgé à la fin de la journée et les siffleurs de pop candide la trouveraient moins drôle ?

137

Mosaïques

Pendant son quart de travail, cette même journée du 25 juin, Valvoline croisa Wilhelm Kaiser,
le doyen des Charognards. Il passa une bonne
demi-heure avec elle à regarder les voitures passer
sous la pluie. Il a dû lui dire quelque chose de spécial, les plis dans son front devaient donner à lire
toutes sortes de formules secrètes particulières
pour que Valvoline, en rentrant, prenne à peine le
temps de manger avant de descendre me dire que
c'était fait, c'était décidé : entre l'invisibilité et la
capacité de voler, elle choisirait de voler.

– Pas besoin d'ailes ! J'avancerais sans arrêt, je
planerais comme un convoi de nuages damés. La
simple idée de marcher m'amènerait à trotter dans
une suite hyperbolique presque automatique, naturelle, de gestes.

– On arrête pas le progrès ! Qu'est-ce qu'il t'a
dit, Kaiser ?

– Il m'a expliqué ce qui se passerait. Il m'a dit que le fait de trotter me pousserait à courir de plus en plus vite. Que je courrais comme une machine, que mes bras tourneraient les crémaillères et les pentures chargées de me donner l'équilibre et que je pomperais mon combustible tandis que le mécanisme de mes jambes s'activerait.

Il fallait voir Valvoline s'énerver, avec son grand corps costaud, ses longs cheveux foncés. Dans l'éclairage accidentellement tamisé – je n'avais pas eu le temps d'allumer quoi que ce soit, Valvoline était déjà dans le salon –, son excitation la rendait fluorescente ! Si je n'avais pas été à ce point intrigué par son propos, j'avoue que je l'aurais sûrement trouvée belle.

– Je toucherais de moins en moins souvent au sol. Ma course finirait par me donner l'impression d'être immobile tandis que la Terre accélérerait sous mes pieds.

– Comme si tes pieds faisaient tourner la planète entière, comme s'ils creusaient le sol.

– De courir m'amènerait à sauter de plus en plus loin et toujours de plus en plus vite, jusqu'à ce que sauter ressemble finalement à voler.

J'étais étonné de l'aspect graduel de sa vision des choses. Pour ma part, j'avais toujours vu ce type d'avènement comme une apparition soudaine: on se lève un jour pour constater qu'on peut être invisible ou qu'on peut voler. Elle et Kaiser avaient tracé cette évolution d'un individu comme un processus détaillé, l'invisibilité comme étant acquise de fil en aiguille. Je fus d'autant plus surpris quand Valvoline me prit la main pour me parler. Les siennes étaient anormalement douces pour une pompiste.

— Je commencerais par sortir du quartier pour poser un pied, et le bond suivant m'amènerait à franchir le double de la distance du bond précédent pour poser l'autre pied dans une autre municipalité, et le bond suivant se ferait dans une autre province.

— Un moment donné, il faudrait que tu réussisses à éviter les océans. Pis tu ferais un tour complet du globe sans toucher au sol.

— Ce serait comme faire des bonds.

— Mais à l'inverse, en augmentant la distance entre chaque bond.

Je passai ensuite le reste de la soirée à imaginer les milliers de traités de vélocité qui inspireraient des centaines d'hommes et des centaines de femmes à chercher à leur tour la façon de reproduire l'expérience. Plusieurs nations participeraient à la course au vol humain : ça deviendrait une obsession mondiale. Je pensais qu'une petite fille naîtrait peut-être dans les Townships avec les habiletés tant recherchées. Je rêvai qu'à force de vouloir voler, les gènes de l'espèce reconnaîtraient l'idée comme une nécessité pour la survie. Puis, je rêvai que je passais des nuages au lecteur optique.

Je suis sûr que Valvoline eut autant de difficulté que moi à dormir, ce soir-là. Je la vis dans son lit, comme moi, en train de fixer le plafond. La nuit, elle rêva de champs et de chemins de campagne vus du ciel : des mosaïques agricoles.

Ordi

Certains diront que c'était pour équilibrer le karma, d'autres diront que le karma n'avait rien à voir là-dedans, mais fallait-il vraiment que notre journée la plus faste soit immédiatement suivie de deux jours de quasi-panne sèche? Valvoline était en congé au Shell, et son remplaçant ne recueillait pas l'info sur les charognes comme elle, alors on devait avancer dans Brome-Missisquoi à tâtons. Ça me permit à tout le moins de connaître certains coins de la région que je n'avais jamais vus: Jacques avait conçu une technique de ratissage routier qui impliquait de ne pas rouler plus vite que trente kilomètres-heure, avec une moitié du camion sur l'accotement. Ça me valut plusieurs visites de chiens de campagne enragés, qui voulurent un morceau de mon coude. Ils étaient surtout attirés par le camion en tant qu'objet mécanique excentrique – plusieurs s'en prenaient directement au pare-chocs arrière, s'accrochant avec leur gueule au métal et sautillant rapidement sur leurs deux pattes arrière. Il devait y avoir quelque chose de déstabilisant dans les ultrasons et l'odeur de charognes qu'on dégageait.

Ç'aurait été deux journées très mornes, n'eût été du fait que, sous la pluie battante, j'aperçus Élisabeth du Centre local d'emploi de Bedford qui traversait la rue Sud, à Cowansville, tel un rayon de soleil dans le fond du lac Champlain. Elle était peut-être en mission professionnelle – faisait-elle des consultations à domicile ? –, ou bien elle avait un rendez-vous médical. Peut-être avait-elle dû prendre congé pour préparer les funérailles de son amoureux, qu'elle n'aimait sûrement pas tant que ça de toute façon, décédé dans un accident de ski nautique – il fallait vraiment être crétin pour faire du ski nautique par un temps pareil. J'essayai de croiser son regard, mais la tâche était plutôt difficile, assis dans la cabine du truck de Jacques, alors que celui-ci n'en avait probablement rien à foutre, d'Élisabeth. Pourtant, quand on arriva tout près d'elle et qu'elle se trouva directement vis-à-vis de ma fenêtre, je crois bien avoir vu son regard se poser sur nous. Je l'imaginai se dire alors : «Ah, tiens, c'est le gars que j'ai placé avec Jacques Prud'homme.» J'espérai aussi qu'elle se retourne assez vite pour ne pas voir le gigantesque morceau d'orignal qu'on charriait dans la boîte depuis Glen-Sutton.

Je dis: «Élisabeth !» au moment même où Jacques appuya sur l'accélérateur. Le moteur du camion poussa un de ses cris ultragraves, un chant de baleine ténébreux qui enterra mon appel et, en quelques secondes, on était déjà trop loin pour que ça vaille la peine de répéter. La licorne disparut dans le brouillard de la pluie torrentielle.

Dans l'accumulation des jours gris, Jacques devint aussi de plus en plus taciturne. Sa posture généralement très droite s'affaissait et sa tête, que j'avais trouvée tellement grosse la première fois que je l'avais vue, sur la Grande Ligne de la 227, me paraissait maintenant réduite de moitié. Avait-il cessé de se raser ? Il se déplaçait avec de moins en moins d'entrain et je m'étonnai de le voir s'impatienter avec des citoyens qui voulaient le prendre en photo. Il faut dire que si les gens avaient tendance, auparavant, à traiter les exploits de Jacques comme des bijoux de leur territoire, comme des objets de fierté régionale, ils devenaient de plus en plus cyniques.

– Y a pas à dire, il fait la pluie et le beau temps, le Prud'homme.

– Il pourrait se concentrer sur le beau temps, on s'en plaindrait pas.

Valvoline nous donna enfin une liste sur laquelle figuraient peut-être sept ou huit charognes que des clients lui avaient signalées. À l'exception de ce morceau de flanc d'orignal, que je voyais plus comme un déchet de chasseur qu'une véritable carcasse, la récolte de la journée était plutôt maigre et la pluie commençait à me miner le moral. Une chance que je croisai la licorne du centre local d'emploi pour me procurer une dose de vitamine C.

Le boisé dans lequel on pénétra par la suite avait déjà été situé le long d'une voie ferrée. Du moins, quand j'étais petit, il y avait une voie ferrée qui traversait ce même boisé, et jusqu'à quelques mois auparavant, j'étais convaincu qu'elle s'y trouvait encore, mais au moment où j'y mis les pieds, avec Jacques, elle semblait avoir disparu sous un ruisseau. Ç'avait été inondé ? On devait se frayer un chemin entre les milliers de drageons et de chicots d'arbres, ou piler directement dans l'eau. Ça me faisait tout drôle de voir l'eau s'accumuler un peu partout : je me souviens qu'on avait cessé de faire attention aux trous dans la route. En plus des fossés qui enflaient, des entrées de cour que la pluie remplissait, la région devenait rapidement un énorme nid-de-poule.

On marcha pendant quinze minutes avant d'atteindre l'endroit où, selon les indications notées par Valvoline, on devait trouver une grosse carcasse. Toutefois, la seule chose qui nous y attendait était un vieil ordinateur, un écran et un clavier, jetés là probablement par quelqu'un qui était perplexe à l'idée de les mettre simplement au chemin – ces objets renferment après tout un nombre incalculable de données et sont donc beaucoup plus lourds et précieux qu'on le pense. Peut-être que la personne avait choisi de laisser ses données informatiques dans le bois pour qu'elles soient enterrées par le temps et qu'un jour, des archéologues du futur fouillent le coin pour les retrouver. Peut-être que ces objets contenaient un testament de l'humanité. Peut-être aussi que c'était de la pure insouciance.

– Il y en a qui doivent revoir leur définition d'une charogne…

Après avoir fait le tour de l'endroit pour être sûr qu'il n'y avait pas de vraie carcasse d'animal, Jacques ramassa quand même le vieil ordinateur en marmonnant quelque chose qui sonnait comme «on peut pas laisser ça là». Je me demandais bien où on allait jeter ces restes. Les gars de Sanimal n'allaient certainement pas les prendre.

Je me souviens qu'on passa la majeure partie de ces journées à faire des allers-retours dans un quadrilatère assez large, entre Notre-Dame-de-Stanbridge et Cowansville, et entre Frelighsburg et Philipsburg. C'était assez désolant de voir la région au complet sous la pluie aussi longtemps. Je veux dire qu'habituellement, on parcourait l'équivalent de vingt minutes de route et le temps changeait. Maintenant, la pluie remplacerait le vent. On la respirerait. Les sièges poussiéreux du camion de Jacques seraient presque boueux, maintenant. À tout le moins, on les frapperait et nos doigts colleraient presque au tissu.

Moineau

Parlant de truck, Jacques me demanda durant ces journées grises de conduire à sa place. Au départ, il me fallut quelques minutes pour être à l'aise. Le fond du siège était à ce point moulé au cul de Jacques que je pensai un instant qu'il m'avait fait une blague et qu'il y avait placé un bol juste avant que je m'assoie. J'avais peur aussi parce que la route était déjà submergée par endroits, on voyait les fossés déborder ici et là.

Je ne crois pas qu'il m'aurait laissé conduire son monstre mécanique si je ne lui avais pas énuméré la quantité de véhicules que j'avais conduits dans ma vie. Bien sûr, je lui mentis : je ne savais pas plus conduire qu'un bœuf sait siffler. La seule bébelle que j'avais déjà pilotée était une planche à roulettes et, encore là, c'était pas mal passif comme conduite. Il me demanda de prendre le volant pour piquer un somme, tout ce que je devais faire, c'était de suivre le chemin de Saint-Armand vers Frelighsburg

149

et de faire demi-tour quand j'arriverais au bout, puis de faire le chemin inverse jusqu'à Philipsburg en maintenant toujours une vitesse de cinquante kilomètres-heure. C'était assez simple.

Pourtant, une fois assis, après que Jacques m'eut expliqué les rudiments de la conduite de son truck, il fallait me voir suer comme une champlure. Entre deux coups de volant, j'envoyai deux coups de poing rapides sur le côté gauche, par la fenêtre, comme pour assommer un piéton. Quand j'embrayai en première vitesse, le grognement du moteur se fit si puissant que la fenêtre du côté de la portière de Jacques baissa d'un cran. En deuxième vitesse, je sentis tous mes organes se comprimer en un seul méga-organe. Jacques dormait déjà quand j'enclenchai la troisième vitesse. On commença à avancer plus vite, mais notre mouvement me parut si monumental, si massif, que je pensai un instant que c'était le sol qui se déplaçait sous les pneus du camion. J'étais un glacier aplatissant le territoire. J'agrippai le volant, que Jacques avait lui-même façonné avec un morceau de pin sylvestre.

Après quelques minutes, un tracteur tirant une cage de balles de foin vide nous dépassa à une vitesse déraisonnable, je regardai l'odomètre du truck, je ne roulais qu'à dix kilomètres-heures. Il avait pourtant l'air de rouler extrêmement vite ! C'était ridicule, je devais accélérer. Que penseraient les gens, en voyant le camion du légendaire Jacques Prud'homme passer ultralentement devant leur maison et se faire dépasser par un tracteur ou pire, des cyclistes? Je pouvais déjà voir la une du *Flux régional* : «Prud'homme lambine!»

En cinquième vitesse, je commençai à avoir le bout des doigts engourdis et je dus tenir le volant d'une seule main à la fois, parce que quand j'y mettais les deux, je jure que mes gencives retroussaient. J'allais au moins à cinquante-cinq kilomètres-heure quand j'entendis un bruit sec vers l'avant, à peine plus fort que le grondement du moteur, la pluie fine sur le toit et les essuie-glaces. Mon cœur se serra. J'arrêtai le camion et fis le tour vers l'avant : un moineau était resté pris dans le radiateur.

– Hé, Walker! Continue, t'éloignes le chômage!

J'entendais Jacques rire dans l'habitacle. Par la fenêtre, il me lança une paire de gants. Avant de le jeter dans le fossé – on ne ferait pas un sou avec un pauvre petit moineau –, je pris le temps de passer l'oiseau mort sous mon lecteur optique. On m'indiqua d'aller chercher un bâton de baume à lèvres Lypsil à saveur de menthe poivrée.

Quand j'étais petit, les oiseaux se fracassaient régulièrement le crâne sur notre fenêtre de la véranda et mes parents organisaient des minifunérailles. On invitait les voisins, mon père jouait une chanson à la musique à bouche et, chacun son tour, on jetait une poignée de terre sur le cercueil en carton que ma mère avait préparé pour l'oiseau. À cette époque, on voyait rarement les moineaux voler sous la pluie. Aujourd'hui, ils étaient visiblement habitués aux gouttes. Les nouveaux propriétaires de ma maison d'enfance ont fait installer une piscine creusée à l'endroit exact où on avait créé le minicimetière. J'espère qu'ils trouvent régulièrement des plumes de moineau dans leur filtreur.

Je crois que j'étais trop nerveux pour me préoccuper d'autre chose que de ma conduite, mais par la suite, quand je discutai avec Valvoline de mon expérience, j'allumai sur le comportement plutôt étrange de Jacques: pourquoi était-il si fatigué? Valvoline prétendait qu'il ressentait les après-coups des multiples doubles vies qu'il menait. Avait-il une autre raison de me laisser conduire son truck?

Raser mourir

En tout cas, que personne, ni Einstein, ni les épais de Sanimal, ni les syndiqués de McStetson Canada inc. n'essaie de me dire que le temps passe vite. Le temps, il passe en nous regardant, comme une délégation de coiffeuses sur leur cage de balles de foin tirée par un tracteur lors du défilé de l'Expo à Bedford en 1990. J'ai ce souvenir assez vif de l'été où mes parents et moi étions arrivés une demi-heure trop tard et que toutes les bonnes places – soit dans les estrades de la place de l'Exposition, soit sur le terre-plein de pelouse en face de Chez Barry – étaient occupées. On avait dû se contenter de la fin de la *run* des participants, juste avant qu'ils reprennent le chemin vers un énorme hangar. La plupart des wagons, remorques et chars allégoriques se transformaient, rendus à nous, en espèces de partys de bureau ambulants : le spectacle étant fini selon eux, les quatre garagistes de chez Monette & fils inc. décrochèrent de leur rôle d'ingénieurs de train, sur leur gigantesque locomotive en *plywood* et en styromousse, et se mirent à se taper dans les mains mutuellement, à enlever leur casquette rayée et à s'échanger des cigarettes ; le groupe de Suzannes qui normalement travaillaient dans la cafétéria de l'école secondaire Jean-Jacques-Bertrand arrivaient devant nous, assises les jambes et les bras croisés, visiblement écœurées de porter leur déguisement de pierrots tout en arrachant distraitement des tiges de foin des balles sur lesquelles elles avaient fait l'essentiel du trajet ; même les vaches lauréates semblaient plus désinvoltes – en tout cas, si ce n'était pas de la désinvolture, leur nonchalance en disait long sur la qualité de la compétition bovine à l'Expo. Je me souviens que j'eus vite conscience de ce qui se passait, que je compris vite qu'il s'agissait là de la fin du spectacle, qu'on avait droit à ce moment où le clown ôte son masque, s'en allume une et fait des attouchements à peine voilés aux femmes qui l'entourent. Mon père était ultradéçu de voir mon air confus et criait constamment à la procession : « C'est pas fini ! C'est pas fini ! » Si je pouvais avoir l'air préoccupé aux yeux de papa, je n'étais pas moins fasciné par cette prise de conscience de la mise en spectacle. Je sentais que j'avais eu droit à des informations privilégiées et qu'on faisait désormais partie de chacune de ces fêtes de bureaux. Les années suivantes, on avait beau arriver une heure à l'avance, j'exigeais quand même qu'on assiste au défilé en l'attendant à la toute fin de son trajet.

Le temps, donc, passe lentement et avec un sourire blasé, en nous saluant nonchalamment, pas trop sûr de ce qu'il fait. Et ce n'est pas Einstein qui me l'a appris mais plutôt un train fonçant droit vers Jacques et moi, entre le rang Scottsmore et la 139, près de Cowansville. Quand on frôle la mort comme on l'a fait cette journée-là, on trouve que chaque seconde coule comme de la mélasse sur un bras. On avait repéré une carcasse de chevreuil à cheval sur les rails du chemin de fer, il pleuvait très fort. Du bord de la route, on voyait seulement une tache brune au milieu de la pluie battante. On se mit à évaluer la distance et à se demander si on allait s'y rendre à pied, sous l'orage, ou si on allait utiliser le camion. En fait, c'est Jacques qui s'occupait de la majorité des délibérations tout seul. Moi, j'étais déjà en train d'enfiler mon imper, mes bottes, ma salopette et mes gants. Juste au moment où j'allais descendre, il repartit le camion et lui fit enjamber les rails. Je me rassis aussitôt sans rien dire. Sous la pluie, on constata seulement à mi-chemin qu'on n'entendrait pas le train arriver.

Pourtant, on l'entendit juste à temps. Jacques fut le premier à réagir, après m'avoir aidé à balancer la grosse moitié de charogne dans la boîte du truck. L'autre moitié avait sûrement volé dans le bosquet à côté, ou elle était peut-être en quelque part entre Sudbury et Winnipeg, étampée sur le devant du train qui l'avait frappée. J'imagine un gros cul de chevreuil qui fend l'air ontarien, qui traverse les Prairies, qui émerge d'un tunnel dans les Rocheuses et qui salue les amis à Vancouver. Jacques me cria d'embarquer dans la boîte, alors qu'il courait vers la cabine. Je n'eus pas besoin de le faire répéter, j'enjambai la moitié de charogne en me tenant sur le bord et j'eus à peine le temps d'apercevoir une grosse lumière devant le camion qu'on reculait déjà à toute vitesse vers la 139.

Ici, je fus extrêmement soulagé que Jacques n'eût pas de nouveau envie de me laisser conduire. Puisque le train n'avait vraiment pas eu le temps de nous voir et de ralentir, il nous fonça droit dessus sans diminuer sa vitesse. Sa grosse bande noire en demi-lune sur l'avant lui dessinait un gros sourire – comme un gros joueur de hockey s'apprêtant à en geler un plus petit dans une bande. Comme un pilote professionnel, Jacques recula jusqu'à un morceau de chemin de service, à une vingtaine de mètres de la route. J'avais peur qu'il ait de la misère à faire passer le camion par-dessus les rails, mais il donna d'abord un coup de volant dans le sens inverse pour prendre un élan et, ensuite, il franchit les rails, et ça donna l'impression d'un gros hoquet.

Dans la boîte, je me retrouvai à deux pouces d'embrasser le chevreuil. En me relevant, je vis les wagons défiler et j'entendis encore le train siffler. Le chauffeur devait nous trouver pas mal idiots d'avoir osé nous promener sur la voie, mais je pense qu'il applaudissait aussi Jacques parce qu'il avait effectué avec brio une manœuvre aussi périlleuse.

Il faudrait compter le nombre de fois où on rase mourir dans la vie. Ça devrait devenir un critère pour être riche, plus souvent on rase mourir, et plus on rase mourir de près, plus on est riche. Mais du vrai rasage de mourir. Comme survivre à un feu, échapper à un train, s'enfuir d'un tueur qui court plus vite que soi, réussir à réparer un parachute bloqué en pleine chute libre pour atterrir sain et sauf, être réanimé après une noyade, être daltonien et couper le bon fil pour désamorcer une bombe, sortir vivant de l'attaque d'une meute de loups affamés. Valvoline, quand elle raconte quelque chose d'extrêmement drôle ou d'ultragênant qui lui est arrivé, elle dit souvent qu'elle pensait mourir. Moi, je parle plutôt des vraies occasions où quelqu'un frôle la mort, et non des choses qu'on dit seulement pour exagérer. C'est clair que des gens comme McGyver, Magnum P.I. et Indiana Jones seraient pleins aux as.

J'ai rasé mourir environ trente fois, sauf que dans le lot, il y en a une dizaine dont je ne me souviens pas grand-chose, à part une vague impression d'avoir rasé mourir. Honnêtement, je pense avoir eu cette impression presque chaque fois que j'ai mangé des vol-au-vent. Je ne serais pas riche, mais j'aurais pas mal plus d'argent que j'en ai maintenant, c'est sûr.

Après que le train fut passé, Jacques se retourna dans la cabine, me fit signe, par la fenêtre, de m'en venir, et on repartit sur la route comme si de rien n'était. Pendant ce temps, moi, je vérifiais si je ne m'étais pas pissé dessus, sous ma salopette. Jacques était impassible, il venait de vivre un moment tout à fait normal, rien d'inhabituel, une autre journée, une autre charogne.

Le midi, à la Cantine du Klondike à Saint-Alphonse-de-Granby, les serveuses m'énumérèrent les histoires de fou que Jacques Prud'homme avait vécues. Je leur avais conté l'aventure du train en détail et comment ça m'avait vraiment foutu la chienne. J'avais aussi dit comment Jacques, assis devant moi sans parler, avait eu l'air parfaitement calme et serein. Il restait muet, en souriant humblement. La waitress qui avait les boules refaites n'était même pas étonnée. Quand je balayai accidentellement sa paire de seins avec mon lecteur optique, malgré sa blouse, l'écran afficha trente contenants de deux cent cinquante millilitres de peroxyde. Elle commença en comptant le nombre de fois où, selon des témoins, il avait failli lui-même devenir une charogne. Après deux minutes à s'obstiner avec elle-même à voix haute à propos de l'année exacte, elle dit que ça faisait onze ans qu'elle connaissait Jacques et qu'il n'y avait pas un mois, depuis leur première rencontre au Bienvenu Bar-Salon Licence Complète, à Marieville, où elle n'avait pas entendu une nouvelle histoire à propos de lui. Dans l'économie du rasage de mourir, un gars comme Jacques Prud'homme serait multimilliardaire.

Latin

Valvoline n'était pas étonnée non plus de notre rasage de mourir. Elle s'efforça cependant à bien noter la description de la moitié de carcasse de chevreuil dans son cartable – je l'aidai durant notre pause de dîner, au Shell, le trente juin. La pluie se faisait de plus en plus forte, ce qui rendait le travail de pompiste de Valvoline d'autant plus pénible puisqu'il n'y avait pas d'abri par-dessus les pompes. Elle nous montra d'ailleurs le sous-sol de la station-service : il y avait un pouce d'eau partout.

– Ça vient du drain.

– S'il continue à mouiller de même, tu peux être certaine que bientôt, ce sera Venise-en-Québec dans le sous-sol.

– Ouais, bon. Venise-en-Québec est en expansion ces temps-ci.

À l'exception de l'occasionnel rasage de mourir et de cette journée miraculeuse, les jours se ressemblaient pas mal – de la pluie et de moins en moins de carcasses à différents degrés de décomposition – jusqu'au moment où, cet après-midi du 30 juin, je balayai la queue d'un renard avec mon lecteur optique et l'écran à mon poignet me demanda d'aller chercher un *Vulpes vulpes*. L'animal gisait, étonnamment intact, sur la chaussée de la 237, à deux kilomètres de la frontière américaine. Il aurait pu être seulement endormi, je n'aurais pas su faire la différence. Valvoline croit que le renard représente toujours un présage dans la nature, lisse et opaque comme un signe. Par contre, sur le coup, je ne m'en fis pas trop avec cet incident du renard et de la lecture optique latine : ça devait être un autre *glitch*.

Puis, Jacques arrêta le camion vis-à-vis un pont traversant une des nombreuses branches de la rivière Yamaska sur le rang McCutcheon, à Dunham. Sous le pont, il me montra une carcasse de faon parmi un tas de ferraille. Je pensai au raton laveur de ma première journée du 20 juin 2005 et à comment certains animaux semblaient vouloir se cacher pour crever. Je balayai le faon et, plutôt que de m'envoyer chercher une pinte de Monsieur Net, ou un paquet d'antihistaminiques, l'écran du lecteur optique de McStetson Canada inc. m'indiqua ceci : *Odocoilus virginianus*.

Je passai à travers la dizaine d'options de configuration du lecteur et rien ne semblait permettre de changer la langue. J'essayai de taper le côté de l'écran, de brasser le lecteur optique, de souffler dans ses fissures. Je balayai d'autres objets et, pour le truck de Jacques, on m'envoya chercher un *Mammuthus primigenius*; pour le chandail que je portais, un *Stratum corneum*; pour un arbre, un *Acer saccharum*. Je me mis alors à réfléchir à l'évolution des espèces et à la possibilité qu'une patente électronique dont je rechargeais les batteries régulièrement, dont la fonction était exclusivement liée aux produits d'un seul entrepôt, puisse *s'adapter* par elle-même.

Ça me fit penser à un bon gaillard qui travaillait au Rona. Quand on lui demandait comment ça allait, il nous répondait toujours, systématiquement: «On s'adapte.» La blague faisait sourire, les premières fois. Puis on s'apercevait qu'elle revenait immanquablement, que peut-être que le gars ne la voyait pas comme une blague ou le fruit d'une répartie bien rodée. L'aspect automatique de sa réponse créait souvent des malaises qui devenaient difficiles à surmonter. Peut-être qu'il voulait être spirituel et qu'il nous répétait son mantra. Peut-être, en effet, que le bon gaillard *s'adaptait*. Le pire, c'est que la seule fois où je l'ai entendu répondre «ça va bien», ça ne m'avait vraiment pas paru sincère.

Je pris soin de noter le plus fidèlement possible les mots que m'indiquait l'écran du lecteur optique et le soir même, je demandai à Valvoline d'effectuer des recherches sur l'ordinateur de son père, afin de tout traduire. J'éprouvai alors un vertige en pensant à l'âge d'une langue comme le latin et aux gens qui s'énervent quand ils voient un avion passer dans le ciel d'un film sur l'Empire romain, ou quand ils distinguent des espadrilles aux pieds d'un soldat dans une scène de guerre. Ces gens trop ordonnés capoteraient certainement s'ils lisaient du latin sur un écran d'instrument à lecture optique – le temps, pour eux, serait sûrement trop compartimenté pour tolérer un aussi grand télescopage. Einstein, lui, relativiserait sans doute toute la patente.

Après dix jours à travailler ensemble, une ligne droite s'installa entre Jacques et moi : un corridor de coton nous liant d'un bout à l'autre de l'habitacle. À passer autant d'heures pratiquement collé à quelqu'un, on se découvre des affinités un peu malgré soi. Nos rapports allaient devenir moins verbaux, mais bizarrement plus authentiques. Comme si on avait compris qu'entre deux personnes, les vraies affaires se prononcent autrement que dans le langage. Je crois qu'au début de mon contrat, Jacques s'imposait. Ce n'était rien d'assez évident pour que je lui en parle, mais je ressentais, au départ, une condescendance que j'avais appris à reconnaître comme la posture initiale d'une quantité d'hommes. Jacques attendait par exemple que je sois penché au-dessus de la charogne pour me donner une instruction sur un ton qui laissait entendre que j'étais cave de ne pas déjà le savoir. Il s'imposait. Et moi, dans ces situations-là, je suis généralement trop conscient du processus pour me battre : en le laissant se confirmer à lui-même sa propre supériorité, je nous rendais service. Ça sonne extrêmement complaisant et perdant, tout ça. Il reste que la relation devint stable et agréable très rapidement. Et qu'au fur et à mesure que je balayais des choses, Jacques se mit graduellement à s'intéresser à ce que l'écran me demandait d'aller chercher. Je ne crois pas avoir trouvé en lui un véritable ami, mais il se montra au moins un minipeu sympathique, la plupart du temps.

Quand il vit que le lecteur optique me parlait désormais en latin, il fit un signe de croix à la blague et me raconta une histoire :

– Connais-tu la vraie raison qui a fait que les François-Trudel se sont séparés ? C'est pas l'arrivée des multinationales comme Brugessen ou Sanimal.

– Non ?

– Ça, c'est le mythe. C'est ce qu'on conte aux nouveaux Charognards comme toi pour qu'ils respectent le bonhomme. C'est là pour honorer l'antagonisme de cette période-là : David contre Goliath, etc. Non, la vraie raison, c'est que le gars a été marqué.

– « Marqué » ?

– Oui, marqué. Veux-tu que je te dise pourquoi ? Un jour, il s'est arrêté l'autre bord de Roxton Pond parce qu'il avait vu un amas de chair et de poils au milieu de la 139, tsé où le chemin se divise en deux et se reconnecte une centaine de mètres plus loin. Il est débarqué de son camion, s'est dirigé vers la carcasse. Il était minuit, ou très tard, alors il n'y avait pas beaucoup de chars sur la route. Quand il est arrivé près de l'animal, il le reconnaissait pas.

– Il reconnaissait pas son espèce.

– Quand même, c'était pas si extraordinaire. Ça lui arrivait souvent, comme à nous autres, de pas reconnaître la bibitte tellement elle a l'air de fusionner avec l'asphalte, la garnotte et le motif des crampons des pneus qui lui ont passé dessus. Mais là, l'affaire, c'est que l'animal était pas si magané que ça. Il était étendu de tout son long sur la ligne jaune et il y avait un filet de sang qui lui sortait de la gueule.

– Il ressemblait à quoi ?

– Imagine un porc-épic sans aiguilles. Ça avait l'air d'une sorte de chat-lézard avec un bec-de-lièvre. Il s'est penché pour le ramasser et l'animal s'est levé pour lui mordre le bras. Deux jours plus tard, la blessure ressemblait à un code-barres.

– C'est n'importe quoi.

– Il s'est mis à délirer et à croire et à inventer plein de théories du complot et c'est là qu'il aurait fait ses fameux plans dessins bizarres.

J'imaginai un homme respectable de la stature de François Trudel, un homme de six pieds six pouces, large comme un Ford Bronco, rapetisser de moitié parce qu'il est constamment penché au-dessus d'une table à dessin, en train de grafigner du papier à l'aide de crayons qu'il attend trop long-temps avant d'aiguiser. Je vis le trait de son crayon s'épaissir graduellement sur le papier : un *zoom* microscopique suivant le trait de si près qu'il pre-nait la forme d'une bande horizontale noire rem-plissant progressivement l'écran. Trudel laisse des sillons de figures géométriques et de calculs trigo-nométriques et perd peu à peu toute connexion avec la réalité. Il envisage de lancer une compagnie d'équarrissage spatial. Ses plans d'exploration sont accompagnés de croquis affreux de ce que l'équar-risseur ramasserait s'il devait considérablement élargir son territoire, pour inclure les milliards de milliards de kilomètres qui nous entourent. Il pré-pare une encyclopédie anticipative où figurent les créatures qui semblent peupler son esprit depuis qu'il a quitté la profession – depuis qu'il a vu cette créature dérangeante. Les bêtes sont séparées se-lon leur nature gazeuse, liquide, visqueuse, bacté-rienne, pseudomammifère, pseudoreptilienne, humanoïde, etc. Avec le temps, son corps gagne graduellement en difformités et François Trudel ressemble de plus en plus aux créatures qu'il invente. Il s'adapte.

Casey

Il y eut ensuite ce magnifique golden retriever qu'un jeune homme avait amené au mont Pinacle, près de Frelighsburg. On passa par hasard au pied de la montagne un peu après midi, et on vit un individu sur le bord du chemin, à l'entrée du sentier de la Fiducie foncière du mont Pinacle. Il semblait méditer, assis en Indien par terre, les épaules basses et les yeux bouffis. Il était exténué. Son chien était tombé dans un ravin près du sommet et il avait dû l'apporter sur son dos. J'éprouvai un profond respect pour ce gars à peine plus vieux que moi que j'imaginai traînant la carcasse de son meilleur ami avec la peine et la rage d'un gladiateur. Je le vis franchir les nombreux ruisseaux du Pinacle comme autant de tranchées à traverser : chaque pas était un couteau qu'il enfonçait dans le roc. Malgré la pluie fine qui rinçait tout, des taches de terre, un peu de sang et beaucoup de sueur donnaient à sa peau un aspect suédé. Il méditait paisiblement devant le corps inerte de l'animal, le dos accoté sur le pare-chocs arrière de sa voiture. Tandis que Jacques prenait soin de ramasser son chien le plus solennellement possible, le gars se tourna vers moi et s'exprima calmement. Il me parut incrédule.

– Je l'amène ici parce qu'à Sutton, des fois, il faut le tenir en laisse… Le pire, c'est que je la traîne toujours avec moi, sa laisse… Au cas où, tsé?… Si je l'avais attaché, il se serait pas pitché…

– Ou ben il t'aurait tiré en bas avec lui.

– C'est bête. Ostie que c'est bête.

Jacques déposa le chien dans la boîte et revint pour rendre le collier de l'animal au gars. Les médaillons étaient très usés, et portaient à croire que ce chien avait connu une vie mouvementée. On resta un moment accroupis près du jeune homme, en silence, comme s'il allait de soi d'observer une minute de silence avec lui, pour honorer le décès de l'animal. Comme ces événements de silence collectif me lancent habituellement dans une série de divagations, tout ce temps, je m'efforçai de fixer le collier. Discrètement, je passai mon lecteur optique sur l'un des médaillons. On me demanda d'aller chercher un *Canis lupus familiaris*. Je lus ensuite les informations qui s'y trouvaient.

– Il s'appelait Casey?

– Ma blonde va tellement me tuer.

Sa blonde serait fâchée, le chien s'appelait Casey : je n'assimilai pas tout sur-le-champ, mais j'y reconnus quelque chose de très familier. On aida le gars à se relever et il nous suivit quelques kilomètres, le temps qu'on reprenne la 213 vers Dunham. Il continua plutôt vers Frelighsburg.

En chemin, j'eus beau réfléchir à l'invisibilité, à l'idée d'accélérer le temps, à n'importe quoi, je n'arrivai pas à me débarrasser d'une morosité inexpliquée. C'était bien la première fois qu'une charogne me bouleversait à ce point – je nous sentais connectés, Jacques, le jeune homme et moi. Puis vint l'illumination : Élisabeth n'avait-elle pas, sur son bureau, une seule photographie ? Et cette photographie ne montrait-elle pas un golden retriever ?

Astronautes

Je me souviens que les événements précédant le déluge se produisirent tous de concert. Avant même que les rivières de la région se mettent à enfler, ce fut le flot de coïncidences étranges qui nous submergea. Ici, on apprenait qu'un Charognard avait trouvé une boîte remplie de conserves à l'endroit où un citoyen l'avait dirigé ; là, une autre collègue nous disait que quelqu'un avait effacé le nom de Jacques Prud'homme sous les ponts de la région. Le *Flux régional* multipliait les récits de disparition : les gens signalaient aux médias que leur animal de compagnie avait fui, qu'on avait volé des objets sur leur terrain, que des arbres avaient mystérieusement perdu toutes leurs feuilles du jour au lendemain. Plusieurs choses, un peu partout, disparaissaient.

– Qu'on accepte que le monde change autour de soi, c'est primordial. Qu'on accepte de changer, ça, c'est le défi.

Valvoline nous parlait déjà quand on arriva près de la pompe, comme si la conversation avait débuté cinq minutes plus tôt. Elle s'accota sur le capot du camion, près de la fenêtre de Jacques.

– Soixante-cinq bêtes mortes en une seule nuit. À Farnham, en fin de semaine.

Jacques enleva sa casquette, s'alluma une cigarette, sortit du meuble entre nous deux la bouteille qui lui servait de cendrier et demanda à Valvoline ce qui s'était passé.

– Sur le rang Magenta, le plus vieux des Turcotte a pété les plombs, délire religieux pis toute la patente, il a tué tout le bétail du père avant que qui que ce soit se rende compte qu'il se passait quelque chose.

Valvoline parlait en se tenant presque parfaitement immobile. On aurait dit qu'elle prenait toujours cet air un peu détaché en présence de Jacques. Il l'impressionnait beaucoup.

– Il s'est levé en plein milieu de la nuit, il a peint des croix, des signes de piasses pis des espèces de hiéroglyphes sur les murs de la grange. Il a égorgé toutes les vaches. Il paraît qu'il y avait du sang pis de la peinture dans le fossé tout le long du rang et que les petits vieux de la résidence Godbout se sont tous mis à capoter.

– Je comprends qu'ils ont dû capoter. Ils l'ont arrêté, Turcotte?

Elle savait très bien que je n'avais aucune idée de qui était Turcotte, mais elle répondit quand même :

– Qu'est-ce que t'en penses ? Certain qu'ils l'ont arrêté. Ils l'ont interné, même. Il criait qu'on va tous mourir noyés, que les Américains sont des osties de voleurs, des chiens sales, des trous de cul, que la Terre nous appartient, qu'ils ont fait tout chirer et que tout le monde va payer. Que le déluge s'en vient.

Jacques jeta les cendres de sa cigarette dans la bouteille de vitre qu'il utilisait comme cendrier depuis longtemps, à en juger par les strates de cendres qui s'empilaient les unes sur les autres. C'était pourtant la première fois qu'il fumait en ma compagnie. La bouteille était collée au tableau de bord avec du silicone blanc. Il n'avait pas l'air très choqué par l'histoire de Valvoline, il hochait constamment la tête, tellement qu'à un moment donné, je ne savais plus s'il réagissait à ce que disait Val, ou à ce que Turcotte avait supposément crié. Val continua :

– J'ai jamais compris ce gars-là. On était à Jean-Jacques-Bertrand qu'il nous endoctrinait déjà avec de la marde à pasteur à propos du prochain sauveur. Il a monté une pièce de théâtre géante dans laquelle cent cinquante personnes jouaient des lépreux. Il nous appelait ses lépreux, en tout cas. Cent cinquante lépreux habillés en costumes d'astronautes en lambeaux, de toutes les couleurs. Il les avait trouvés dans le sous-sol de l'école, sous l'auditorium. Ça racontait rien, c'était plus une excuse pour déchirer cent cinquante costumes d'astronautes parfaitement beaux pis propres, pis fonctionnels. Il avait fallu qu'on joue la pièce dans le gymnase. En sortant, la soixantaine de gens dans les estrades braillaient comme des veaux.

Elle se dirigea vers le pistolet de la pompe et le débrancha du camion. La pluie laissa sur le gris de son t-shirt, vis-à-vis de ses épaules, une paire d'ailes plus foncées, picotées.

— Le genre de gars que tout le monde soupçonnait de virer catho ou de se tuer à tout moment. Tu te souviens, Étienne? On l'a déjà vu, il travaillait au Korvette.

Avant que les bœufs le ramassent, Turcotte aurait dompé les vaches de son père dans la Yamaska à l'aide d'un tracteur. Les soixante-cinq carcasses auraient ensuite été ramassées par les gars de Sanimal un peu plus loin.

Jacques éteignit sa cigarette et remercia Valvoline. Sur la route, un peu plus tard, quand je lui demandai ce qu'il pensait de tout ça, il soupira bruyamment et, après avoir gossé sur le bouton de la radio, il ajouta qu'avec soixante-cinq carcasses de vaches, on aurait pu prendre trois semaines de vacances.

Savage Mills

Ce soir-là, Valvoline m'invita au barrage Choinière, dans le parc de la Yamaska. On y entra
par le côté plus à l'est, où on trouva une sorte de
plage en cailloux nommée Savage Mills en honneur
du village qui dormait au fond du réservoir. La
pluie nous força à rester dans la Sentra de Valvoline, mais avec l'émission de Rainier Hamilton en
sourdine, on put se payer une visite dans les profondeurs du lac devant nous, jusque dans le salon
des vestiges des maisons.

– C'était quoi son problème, aujourd'hui, à
Jacques ? Je le trouvais bête.

– On dirait qu'il fait la baboune, ces temps-ci.
Je pense que le temps l'affecte plus que la moyenne
des gens.

– Tu devrais entendre ce que le monde dit à son
sujet… C'est comme s'il fallait qu'ils se défoulent
sur quelqu'un.

– Bof, on déboulonne pas un mythe en quelques jours. Ça prend du temps. Il va survivre. Je t'ai-tu dit qu'il m'a encore laissé conduire pour faire une sieste ? Il doit faire de l'*overtime* en quelque part, parce qu'il a zéro énergie.

L'inquiétude de Valvoline était sincère, elle le connaissait plus que moi, je crois.

– Savais-tu que mon grand-père a grandi ici, à Savage Mills ?

– Le père de Maurice ? Non, je savais pas.

– Il est tombé dans le coma, il y a deux ans, pis quand il s'est réveillé, il voulait absolument revoir son village natal. Mon père pis mes tantes avaient beau lui expliquer que ça existait plus, que ç'avait été inondé, il voulait rien savoir. Il avait sauté une coche.

– Ça arrive souvent, les gens perdent des morceaux de mémoire comme ça.

– J'ai décidé de l'amener ici, le mois passé… Sans le dire à personne, je suis allée le chercher à sa résidence pis je l'ai amené ici, sur le barrage. On a traversé à pied. T'aurais dû le voir, il capotait.

– Quoi ? Il était triste ?

– Je pense qu'au début, même si je lui ai expliqué ce qui s'était passé, ce qui était arrivé à son village, il comprenait pas trop. Pis quand il a vu, en haut, l'église qui a été rénovée pis qui est maintenant une maison, je l'ai vu se redresser. Ses yeux sont devenus gros de même. Il souriait.

– Il reconnaissait des choses… Eh ! Imagine : tu te bâtis, toute ta vie, un inventaire d'images pis de souvenirs de l'endroit où t'as grandi. Pis tu vis au jour le jour en retournant tout le temps, dans ta tête, dans le coin de ton enfance. Pis là, tu retournes pour constater que tout ça, c'est pris dans ta tête, que le coin où t'avais un fort dans le bois, où tu roulais en bas de la côte, où tu soufflais sur les morceaux de gazon, le coin de ton enfance est maintenant un gros christie de lac ! C'est fou.

– Le pire, c'est que mon grand-père était pas triste. Il a même ramassé un caillou pour essayer de faire des bonds dans le réservoir.

– Il espérait peut-être que sa roche descende jusqu'à sa maison.

L'idée d'un galet descendant tranquillement, en spirale, vers une maison, dans l'opacité de l'eau du réservoir, nous berça. Je me dis que, plus que jamais, Savage Mills devait être un village extrêmement paisible. Valvoline s'endormit sur mon épaule, tandis que la pluie se faisait d'autant plus forte sur le toit de la voiture. Le signal de l'émission de radio était si clair, ici, qu'on pouvait entendre la statique sur les disques vinyles que Rainier Hamilton faisait jouer.

«WHEN THE SAINTS GO MARCHING IN», LOUIS ARMSTRONG & HIS ORCHESTRA

*A*vec un temps pareil, quoi de mieux qu'un bon *vieux gospel festif pour raviver la flamme? L'émergence: voilà de quoi il s'agit ici. Quand le soleil refusera de briller,* that's where I'll be. *Dans l'addition de deux éléments en naît un troisième. Un plus un, ça donne trois, les amis.*

Il règne une ambiance étrange dans les Townships depuis quelques jours. Ça donne à toute chose une sorte de couleur évangélique. On a le gospel rapide. On embrasse plus longtemps les proches qui nous rendent visite. On mange plus lentement et on semble apprécier chaque inspiration comme une bouchée de caviar. L'air est un rideau de mélasse qui nous ralentit et nous oblige tous à vivre de la même façon, à retardement, déphasés.

Quand la trompette donnera le signal, on suivra le pas: c'est ce que dit la chanson de Satchmo. À Fulford, un garçon nommé Raphaël et son meilleur ami Julien ont tenté une expérience un soir. Après avoir attrapé une cinquantaine de lucioles dans des pots Mason, ils les ont apportées dans la salle de bains du garage du père de Raphaël. Ils ont ensuite éteint toutes les lumières du garage. En plaçant un seul pot contenant une luciole dans la noirceur de la pièce, ils ont d'abord constaté que la luciole s'était mise à faire de la lumière à un rythme régulier. Quand ils ont introduit une deuxième luciole dans le bureau, celle-ci clignotait à un rythme différent. Après avoir placé toutes les lucioles dans la noirceur, ils les ont transférées délicatement de la salle de bains au garage, et elles se sont toutes mises à émettre de la lumière à des rythmes différents. Comme des musiciens d'un orchestre accordant leurs instruments avant un concert.

Puis, écoutez ça : petit à petit, quelques lucioles ont commencé à suivre le même rythme d'émission de lumière. Au bout d'une demi-heure, les petits gars ont eu droit à un concert lumineux. Presque toutes les lucioles produisaient de la lumière en même temps. En quelque part, une forme d'ordre a émergé du chaos. Suivant un signal imperceptible, elles se sont synchronisées naturellement.

Comme dit Louis Armstrong, quand les saints défileront, pour m'amener ailleurs, pour souligner la fin de quelque chose, je ferai partie de la parade. Je marcherai en criant et en frappant sur mon tambour, dans l'attente du renouveau. Ceux qui suivront seront *comme une convergence de lucioles. Synchroniques et magiques.*

Voici maintenant le parrain du country, Hank Williams, qui nous dit : «I'll Never Get Out of this World Alive».

XV3878889-lki33/

Ce qu'il faut savoir au sujet de Jacques Prud'homme, c'est qu'il est pratiquement impossible de vivre sainement avec un nombre incalculable de doubles. Il avait beau être vanté et célébré pour plein d'accomplissements extraordinaires, on entendait toujours un discours incontrôlable qui l'avilissait. Évidemment, le débat au sujet du rôle positif ou négatif de Jacques Prud'homme n'avait rien de neuf. On s'obstinait depuis les premiers cancans à savoir si un tel personnage – fictif ou non – était bon ou mauvais pour une communauté. Et si, jusqu'à maintenant, je n'ai parlé que des exploits de Prud'homme, il convient plus que jamais de rectifier la chose: l'homme légendaire connaissait un groupe important de détracteurs. Depuis toujours, les deux discours avaient coexisté dans une paix relative: ici, certains racontaient avec émerveillement le fait qu'il ait lancé un tronc d'arbre comme un javelot de l'autre côté du lac

Selby ; là, on décrivait le même événement comme un attentat qu'il avait commis sur le quai d'un citoyen, de l'autre côté du lac. La différence, dans ces derniers jours, c'est que les rumeurs néfastes l'emportaient de plus en plus sur les bons coups, les admirateurs semblaient se faire de plus en plus discrets.

Je crois que Jacques s'attendait à un minimum de reconnaissance, tout de même. Il aurait aimé que les citoyens comprennent que de gérer autant d'actions, en autant de lieux différents, avec autant de facteurs moraux, psychologiques et physiques, constituait un exploit mirobolant en soi. Qu'ils conçoivent que de ne pas perdre sa tête dans de telles conditions nécessitait un système de gestion de données qui, en complexité, était à des années-lumière de leurs petits portables personnels. Mais s'il fallait en plus qu'il gère les récits négatifs qui circulaient à son sujet – les pires histoires de viol, de bataille, de fraude –, il ne survivrait pas. En bon ou en mal, les citoyens semblaient plus occupés à diffuser les rumeurs à son sujet, à alimenter le mythe, à multiplier eux-mêmes Jacques Prud'homme à coups de cancans et de ouï-dire.

Pour ma part, je tentais de ne pas trop lui en demander, de le divertir calmement avec mes lectures optiques. Il ne reste pas moins qu'il me semblait toujours de plus en plus démoralisé, au fur et à mesure que la pluie remplissait les bassins de la région.

Il ne s'agissait peut-être pas de le couvrir d'éloges ou de lui lancer, littéralement ou figurativement, des fleurs au sujet de sa force et de ses exploits, mais une remarque et un sourire auraient pu faire une mer de différence. Depuis quelque temps, depuis notre journée miraculeuse, je pense – ou était-ce la découverte du vieil ordinateur? – il lui manquait cet élément pour justifier qu'il bombe le torse, qu'il recommence à agir si mystérieusement, qu'il soit de nouveau indépendant, qu'il s'éparpille. Il débarquait moins souvent du camion, il me laissait même conduire assez souvent, en dépit du moineau et de la lenteur.

À force de fréquenter les cantines et restos du coin, on en vint à prendre le pouls de ce qui se disait partout. Et comme m'avait prévenu Valvoline, ce n'était rien de très flatteur. En gros, on le rendait coupable plus ou moins directement d'une quantité de complots contre la région. La fermeture de telle usine à Bedford aurait été provoquée par une quantité trop importante de surplus, parce que Jacques aurait donné un trop gros coup de main aux travailleurs. Il aurait causé plusieurs incendies en aidant à manipuler les feux d'artifice de la Saint-Jean, à Dunham. Plus la pluie s'accumulait, plus on sentait une tendance se dessiner dans le discours. Les plus illuminés se fâchaient parce qu'ils pensaient que chaque exploit de Jacques créait une onde de choc sur l'environnement ou sur la vie du coin – il y avait peut-être une force supérieure qui faisait le balancier. Ils pensaient, et disaient à qui voulait l'entendre, que lorsque Jacques aidait un agriculteur à érocher son champ en un temps record, il créait un débalancement dans la nature. Selon eux, la pluie abondante, c'était la faute de Jacques Prud'homme.

Même les plus modérés se mirent à aborder le phénomène surnaturel comme une blague qui avait dérapé, une fiction étouffante. Moi, je fus toujours sceptique quant à la véracité des récits d'exploits ; de toute façon, entre le Jacques Prud'homme du folklore et celui de mon quotidien, je voyais une sacrée différence.

À l'inverse, je gagerais que Jacques, lui, n'avait pas l'impression de contrôler quoi que ce soit qui se produisait, autant dans l'environnement que dans ses supposées démultiplications. Il voulait rendre service aux gens, finalement. À l'image de son camion, c'était un gros moteur qui pompait le sang dans cette machine surhumaine. Sans un petit signe de gratitude – rien, vraiment, une main en forme de pistolet et un clin d'œil – il n'aurait été qu'un barbare, un monstre viril, un tronc d'arbre derrière un gros scrotum brun en quantité infinie. Pourtant, quand on entendait parler de ses exploits, on avait l'impression que les gens ne les racontaient que pour en faire ressortir des éléments vicieux, pour avilir le personnage, comme si ça ne leur suffisait pas de conter l'événement : il fallait créer un antagonisme. Il faut dire qu'avec le temps gris, il y avait effectivement de quoi perdre le moral et se retourner contre soi.

Il en va du sort de la communauté missisquoïenne d'honorer son folklore. Jacques Prud'homme le pensait et le faisait savoir à quiconque lui adressait la parole. Mais quand le folklore, comme n'importe quel savoir, devint incertain, il fallait quelque chose pour le renouveler – un bouton *reset*, un redémarrage, une cure.

La une du *Flux régional*, en ce 2 juillet 2005, affichait en lettres rouges, au-dessus du nom du journal, une citation d'un témoin d'un exploit de Jacques : « Nous étions subjugués ! » Ces mots venaient de l'arbitre en chef Hervé Gouin qui avait assisté au dernier affrontement entre les Maroons de Waterloo et le Club Athlétique d'Eastman. Jacques Prud'homme n'avait pas seulement subjugué la foule, il avait aussi dominé les deux équipes en tirs au but, en mises en échec et en minutes de pénalité. La citation de Gouin était accompagnée du sous-titre suivant : « Prud'homme récolte la première, la deuxième et la troisième étoiles. »

Devant l'impossible, les ti-counes ont tendance à perdre leur jugement. Je ne compris pas comment on avait pu lui donner les *trois* étoiles du match. En tout cas, j'osai croire qu'il n'en demandait pas tant. D'accord, il avait marqué quatre buts pour chaque équipe, faisant fi d'une rivalité de plus de trente ans, sans parler des règlements du sport qui n'autorisent pas un joueur à changer d'équipe au milieu d'une partie. Il avait également blessé une douzaine de joueurs, neutralisant peut-être par le fait même le potentiel d'agressivité des deux équipes. J'imaginai les deux ti-counes chargés de déterminer un classement pour attribuer les trois étoiles se creuser les méninges, feuilleter leurs livres de règlements nationaux, provinciaux, régionaux – le problème étant que s'ils décidaient de donner la deuxième étoile à un autre joueur, la crédibilité même d'une «étoile du match» en aurait pris tout un coup tellement l'écart était grand entre les deux positions. Prud'homme avait été si dominant durant le match que les ti-counes se permettaient de créer un précédent en lui attribuant une étoile pour chaque aspect du sport : l'offensive, la défensive et, dans ce cas-ci, une espèce de combinaison d'offensive, de défensive et de neutralité. Dans les faits, si l'on devait établir une gradation générale des meilleurs joueurs de la partie, Prud'homme était pas mal certain qu'il n'aurait pas occupé que les trois premières positions.

Hervé Gouin avait d'ailleurs avancé qu'il aurait fallu remonter à une seizième position avant de voir un autre nom sur ce classement. Il reste que la simple répétition des nom et prénom de Prud'homme sur la feuille de statistiques du match paraissait plus anti-naturelle que n'importe quel exploit que le principal intéressé avait pu réaliser durant cette même partie.

La même journée du 2 juillet, on dîna à la cantine Sainte-Friture de Stanbridge Station et, alors que je me levais pour aller aux toilettes, j'entendis, derrière les portes battantes de la cuisine, une employée surexcitée monologuer au sujet de la soirée qu'elle avait apparemment passée avec Jacques, après la partie de hockey.

«J'avais pas l'impression d'être super large du, de mon, de ma viviane, je veux dire, sauf qu'à la vitesse qu'il me zignait dessus, c'est comme si j'étais un trou dans une toile de piscine, les coups de son bassin sur le mien arrivaient tellement vite que je me suis mise à me demander de quoi ç'avait l'air. Karl m'a dit qu'on ressemblait à un gros piston prime sur un moteur de Mustang.»

Parmi les sons des burgers rissolant, de la friteuse et des larges pales des ventilateurs, on aurait dit que la merveille des exploits sportifs ne voulait rien dire pour cette fille.

«J'haïsssais pas ça mais, pis je dis pas que je sentais rien, non, c'est juste que ça se passait tellement vite que c'était dur de savoir si ce que je sentais, c'était juste sa pissette, mettons, qui me rentrait dedans ou l'ensemble de son œuvre, comme on dit, les coups de hanches, son souffle, ses grognements, les bruits sourds de la friction entre son affaire pis ma viviane qui sifflait presque. Je vivais une douzaine d'activités en même temps : un rodéo, un accident de char, le drôle de *feeling* avant de vomir où tu vides ton cerveau, toute l'oxygène sort de tes poumons comme pour pousser mieux le renvoyât, une longue, longue, longue glissade d'eau en tire-bouchon, une compétition de souque à la corde. »

Derrière moi, la cantine se fit de plus en plus calme. La fille parlait si fort, par-dessus les bruits de friture, les cris des serveuses au cuisinier, les coups de couteau sur la planche, que son récit s'étendit sur la surface du plancher comme une fumée et tachait tout d'une suie collante.

« Un moment donné ça ressemblait pas mal à n'importe quoi qui me passait par l'esprit, c'était comme si son affaire montait jusque dans ma tête pour me brasser les idées : forcer avec mes doigts pour péter un bouton, battre des paupières, fesser un tronc d'arbre avec une tige d'acier ben lourde pour sentir la vibration jusque dans la demi-lune blanche au début de mes ongles. *Fucké* en maudit, en tout cas. »

J'espérais que l'histoire ne se rende pas aux oreilles de Jacques, qu'une distance salutaire lui épargne cette crasse qui circulait à son sujet. Mais j'étais aussi extrêmement honteux de ressentir une si grande curiosité : ces choses s'étaient-elles réellement produites ? Jacques en était-il conscient ? La fille et son tata de Karl savaient-ils même à qui ils s'attaquaient ? Connaissaient-ils le mythe qu'ils désacralisaient ? Et le rire vicieux du cuisinier ajoutait à la trame de fond huileuse une ambiance dérangeante.

« Sauf qu'après, c'est comme s'il s'était mis à me parler en machine, à me dire des affaires de boulons pis de fils électriques : c'est simple, il a pété une *fuse*. Il disait juste des chiffres, pis en codes : " XV3878889-lki33/ ", pis je sais pas quoi d'autre, des codes. J'ai vu une lumière rouge clignoter dans ses cheveux. C'était peut-être juste l'alarme de feu que je voyais flasher entre ses couettes. »

Je finis par retourner à notre banquette en me disant que c'était ridicule. Mais les gens dans le restaurant étaient tous immobiles, les serveuses se tenaient la tête penchée sur le côté pour mieux entendre, le gérant à la caisse était accoté sur le comptoir et regardait la pluie tomber dans le stationnement, les clients mâchaient ultralentement, de peur de manquer un bout du récit.

«Sauf que le fait qu'il clignote pire qu'une tour à bureaux, ça me laissait croire que ce gars-là, je me suis dit que ce gars-là, il est pas naturel, c'est ça que j'ai pensé en tout cas. Pis, tsé, c'est pas qu'il était pas là avec moi, mais j'ai pas l'impression qu'il était *là* là, tsé? Il était là, parce que je le sentais là, mais en même temps, il avait l'air *ailleurs*. Karl m'a dit qu'un moment donné, après qu'il s'est mis à dire des codes, Prud'homme a commencé à apparaître pis disparaître comme s'il clignotait de tout son corps. Comme si le signal de sa présence rentrait mal.»

Je me tournai alors vers le comptoir et je regardai le gérant comme pour lui dire de s'occuper de ça, de rétablir l'ordre, parce qu'il en allait du salut d'une communauté d'honorer son folklore et, quoi, c'était un établissement familial. Les gens, pourtant, ne semblaient pas s'indigner d'un tel récit. Le gérant se releva lentement et ouvrit les portes battantes de la cuisine. Je vis qu'il s'apprêtait mollement à lui demander de la boucler mais le bruit d'une nouvelle galette de bœuf haché sur la plaque l'interrompit.

«La pluie, peut-être, aidait pas les choses, que je pense. Ça fait qu'après un bout de temps, je sentais bien que Jacques Prud'homme allait m'exploser dans le ventre. J'ai perdu la carte deux minutes avant qu'il vienne: la seule chose que je me rappelle, c'est que je me suis mise à me concentrer, toute ma tête est devenue occupée par un mot que j'avais jamais vu nulle part avant pis qui me paraissait comme le genre de mot que le monde à la télé nous disent pour nous cacher les vraies affaires. Le mot, c'était – j'espère que je mets les syllabes dans le bon ordre : con, attends un peu *boss*, confabulation. »

Dans l'encadré du bas de la première page du journal, Jacques Prud'homme lisait le titre suivant quand je revins m'asseoir calmement : « Les rivières déborderont cette semaine : des prévisions inquiétantes. » Ce n'est pas clair, encore aujourd'hui, s'il parlait de hockey ou de l'histoire de l'employée de la cuisine, mais il me jura sans quitter la page de journal des yeux que ce serait là son dernier exploit, qu'il ne provoquerait plus rien de surnaturel dans la région.

Creuser

S i notre métier d'équarrisseurs pigistes en prenait un coup, avec les averses, on ne resta pas inactifs pour autant. Plusieurs connaissances nous demandèrent un coup de main pour diverses tâches. On aida à rentrer du bois de chauffage dans des sous-sols, on répara en urgence des toitures, on construisit des digues de fortune. J'avoue que, parmi toutes ces tâches, c'est le fait de creuser un fossé autour de la ferme de Paul Trépanier qui me procura le plus de fierté.

Il faut voir deux gars relativement bâtis, en vêtements de travail malpropres, en bottes de cuir beige; l'un d'eux tient une pelle à deux mains, en travers de son corps comme un bâton de hockey, l'autre transporte un pic par-dessus son épaule, comme un baluchon ultrapesant. Une pluie abondante tombe sur eux et rappelle celle des films, les chemises carreautées qu'ils portent leur collent sur la peau comme des vêtements de lycra. Ils doivent creuser une tranchée autour d'une grange afin de canaliser l'eau des gouttières, et celle des ruisseaux de la montagne derrière eux. La tôle grise sur le mur de la grange frappe la structure du bâtiment avec chaque coup de vent, résonnant comme un coup de gong répétitif, un tambour de galère : ils enfoncent leurs outils dans le sol comme des rames dans l'eau. La terre boueuse a beau remplir à perpétuité la tranchée à cause de la pluie, leur galère avance et le canal se forme parce qu'ils y mettent une énergie de bûcherons avec du sang de Vikings et d'Ostrogoths.

Ils se trouvent au pied du mont Glen et le déluge est imminent, le bétail doit commencer à angoisser. Si les hommes n'arrivent pas à diriger l'eau vers le fossé à l'avant de la propriété, la grange sera inondée. L'un d'eux serre le manche de son instrument pour qu'il devienne une extension de ses membres. Tandis qu'une pelle mécanique fait son bout de chemin de l'autre côté du bâtiment, ils empoignent leurs instruments et creusent comme des colons sur une terre neuve. Comme des maniaques, comme si creuser allait sauver l'humanité. Ils percent, fendent et broient le sol en tant que créatures héroïques surhumaines. S'ils le pouvaient, ils mangeraient la terre en poignées. Leur sueur se mêle aux gouttes de pluie sur leur crâne. On devine, à travers leurs vêtements mouillés, leurs muscles qui se contractent à chaque coup de pelle et de pic comme un choc électrique, une secousse métallique bien orchestrée.

Les mouvements de celui qui manie le pic sont d'un automatisme troublant, il est inarrêtable ! Il soulève l'outil par-dessus sa tête en faisant glisser graduellement une main le long du manche de sorte qu'elle soit le plus près possible de la pioche, puis la rapproche de l'autre main, qui tient le manche à l'autre extrémité, à la même vitesse qu'il fait descendre le pic vers de sol. Ses bras ont des pistons, son souffle qui se fait de plus en plus épais dans l'ombre de la montagne devient une boucane, sa trachée et sa bouche forment un tuyau d'échappement, ses jambes le font avancer juste assez pour le prochain coup de pic, son cœur est le moteur qui orchestre tout.

Il faut penser à ce que c'est que de creuser. C'est primitif, plus que d'abattre un arbre, plus que de se moucher directement par terre, sans mouchoir : c'est sauvage. On fend le sol et on adapte son environnement parce que c'est ce qu'on fait, en tant qu'espèce. Les deux hommes creusent et se sentent bien, se sentent virils, cette douleur qu'ils peuvent éprouver parfois quand le pic ou la pelle percute un objet dur est insignifiante devant l'héroïsme de leur geste. En temps normal, ils feraient sûrement rire d'eux à cause de leur entrain démesuré, on leur dirait de prendre ça à l'heure, pas à cœur, on les trouverait débiles, mais ici, maintenant, ils sont en pleine fusion avec leur milieu – ils ont su reconnaître l'ampleur du désastre et les moyens à prendre pour l'éviter. Les temps sont épiques et demandent des mesures proportionnelles : on sauvera le bétail du déluge, on répondra au grandiose par du grandiose.

Paul Trépanier, chez qui on creusait cette tranchée comme des monstres mécaniques, le 3 juillet 2005, avait déjà été une vedette du hockey midget dans la région, dans les années 1980, mais une mystérieuse blessure au crâne, survenue dans le vestiaire des visiteurs de l'aréna Connie-Dion d'Asbestos, l'avait obligé d'accrocher ses patins prématurément. À l'exception de Jacques Prud'homme, qui avait réalisé cet exploit trois fois en deux saisons de 1995 à 1997, Paul Trépanier détenait le record du plus grand nombre de mises en échec en carrière. Il était aussi le seul joueur de l'histoire de la ligue Midget AAA des Cantons-de-l'Est à avoir mis fin à sa carrière en attachant ses patins. Il nous avait appelés pour qu'on passe seulement après notre journée de travail, mais comme on ne trouvait plus de charognes depuis plusieurs heures, on avait décidé d'y aller dans l'après-midi.

Je l'ai sûrement déjà dit, mais creuser à la pelle a quelque chose de si brut et de si sauvage qu'il m'est difficile de ne pas m'y mettre à fond de train, comme si le sort de l'humanité dépendait de la vitesse à laquelle chaque particule de roche, de terre, de sable ou de poussière passait d'un endroit à un ailleurs qui ne serait pas près de l'endroit initial. Comme s'il n'existait en fait qu'une seule façon d'excaver, et que cette façon nécessitait l'énergie d'un débile, l'agilité d'une légende de hockey et la force d'un dieu nordique.

Il va sans dire qu'avant cet épisode de la tranchée autour de la grange de Paul Trépanier, ces trois éléments ne s'étaient pas souvent manifestés en moi. J'avais les coups de pied dans le vide et les scénarios de combat, mais je ne soupçonnais pas qu'une telle force puisse être générée à partir de mes petits biceps et modestes triceps. Après une quinzaine de minutes, chaque pelletée de boue me parut comme un tas de farine. Il faut dire, toutefois, que Trépanier vint juste à temps compléter notre travail avec la pelle mécanique gigantesque au bout de son tracteur; parce qu'on avait beau être déchaînés et invoquer nos ancêtres respectifs, comme pour honorer leur labeur de géants dans les tranchées du passé, l'efficacité de deux paires de bras, quelles qu'en soient la grosseur, la portée et la souplesse, ne vaut rien à côté de celle d'un engin d'acier alimenté par du jus de dinosaures fermenté et distillé.

Entre être invisible ou voler, cette journée-là, j'aurais choisi de voler pour m'agripper à une bâche extrêmement grande – une sorte de courtepointe de toutes les toiles de piscines, d'auvents, d'abris Tempo, les tapis de fausse pelouse et les tentes familiales de la région – et, en partant du fossé devant la maison de Trépanier, je l'aurais tirée par-dessus le mont Glen. L'eau de la pluie coulerait alors sur la courtepointe régionale vers le fossé et ça occasionnerait certainement des accumulations en quelque part mais au moins, le problème de la grange de Trépanier serait évité. Un héros local ne doit pas voir ses vaches nager, comme il ne doit jamais voir ses enfants échouer, ni voir sa femme le laisser, ni voir ses *fans* rire de lui. Déjà qu'il doit s'humilier à vendre des réguines : le gars qui, avant l'impossible Jacques Prud'homme, en faisait baver plus d'un avec ses coups d'épaule dans le flanc, vante les multiples options sur la Buick Regal 1987. C'est pitoyable.

Le lendemain, j'eus l'impression qu'on avait placé entre chacune de mes vertèbres une seringue qui m'injectait de la lave en fusion à chaque mouvement. Mes muscles étaient tellement endoloris qu'avant la fin de la matinée, je dus rester assis dans la cabine pour le reste de la journée, tandis que Jacques débarqua, ici et là, à la recherche de charognes. L'énergie de Viking me sembla bien loin quand vint le temps, ce soir-là, de défaire ma ceinture de sécurité, de me tourner et de me déplier afin de sortir du camion. Je repensai aux avertissements des représentants de la CSST, chez McStetson Canada inc., et je notai de toujours m'étirer avant d'entreprendre d'aussi grosses tâches physiques. Voilà qui calma bien vite le bûcheron héroïque de la veille.

Sensei Fréchette-Huot

L'épisode du vieil ordinateur au fond du boisé aurait dû être pris plus au sérieux. Quand j'y pense, l'ordinateur a marqué le début de la fin pour cet été d'équarrissage. Ce qui s'est passé, en fait, c'est qu'un soir, peu de temps après notre journée miraculeuse de soixante-treize charognes, Jacques et moi sommes rentrés bredouilles. Jusqu'ici, on avait toujours réussi à ramener au moins cinq ou six bibittes tous les jours. Mais le 5 juillet, après dix heures à arpenter les rangs et à questionner les sources habituelles, aux cantines, garages et hôtels de ville de la région, nous ne trouvâmes pas une seule motte de poils à équarrir.

Même si, dans la longue carrière de mon patron, ça ne s'était jamais produit, il ne semblait pas trop préoccupé. Je devins pour ma part extrêmement nerveux et je lui demandai d'arrêter le camion, question que j'aille envoyer quelques coups de pied dans le vide, à l'arrière.

La journée même, les Charognards organisèrent une assemblée extraordinaire à la salle des Chevaliers de Colomb de Bedford. Les responsables de la salle avaient accepté de nous laisser l'espace, même s'ils n'avaient pas encore eu le temps de ranger les décorations de la soirée meurtre et mystère qui y avait eu lieu la veille. Avant même que j'entre dans le stationnement, je vis plusieurs membres qui discutaient de façon passionnée au sujet des scénarios possibles. Si certains cherchaient à expliquer la disparition des charognes, d'autres pensaient plutôt à l'avenir.

— J'ai pas envie de tomber sur le chômage à cause que les bibittes ont arrêté de mourir !

— C'est l'autre pis son zouave, ils les ont toutes gardées pour eux ! Soixante-treize charognes...

— Arrête, avec ton chômage, quand ça va être inondé, t'auras même pas d'adresse pour qu'ils t'envoient ton chèque.

— Roï ! Roï !

— Attention, les v'là...

On entra enfin dans une grande pièce dont le décor nous laissa tous muets. Une boucane flottait encore à un pied du sol. Tous les murs étaient recouverts de draps gris sur lesquels on avait fixé des plantes grimpantes en plastique. Le comptoir du fond, où on plaçait habituellement les crudités et les trempettes, était maintenant un autel orné de chandeliers éteints et de coupes en plastique. N'eût été du plafond suspendu et des néons à pleine intensité, on se serait crus dans une grotte commanditée par le Korvette, au bout de la rue. Même le faux sang sur la joue du bonhomme qui vint nous débarrer le frigo était plus rose que rouge. Je me sentais comme sur le plateau de tournage d'un film à petit budget. Une soirée meurtre et mystère dans une messe païenne…

On dut attendre quelques instants pour prendre place sur les tabourets déguisés en bûches. Je mis mon foulard de John Wayne par-dessus ma bouche et mon nez parce que je déteste l'odeur de la boucane artificielle et je sentais que j'allais bientôt m'arracher un poumon. Jacques s'assit derrière moi. L'assemblée commença et on put constater que la cueillette était à sec pour tous les Charognards, sans exception. Le visage de Wilhelm Kaiser était tout lisse et blême sous l'éclairage outrepuissant des néons. On n'y lisait plus rien. Il s'adressa à l'assemblée et lui suggéra trois thèmes de discussion :

1 – Qu'est-ce qui se passe ?
2 – Qu'est-ce qu'on va faire ?
3 – Varia.

Certains parlaient de réchauffement climatique, d'autres inventaient des théories sur l'évolution de la charogne. Bob Sirois, un équarrisseur pigiste de Fulford, racontait qu'il avait lu des livres et que ça faisait partie des traits principaux de la nature de s'adapter. Une sorte de paix s'installa temporairement quand il fit comprendre à tous les membres que, finalement, ça nous dépassait tous. Les animaux se seraient donc adaptés à cette quantité de routes sur lesquelles passent des monstres de ferraille à des vitesses variables : j'eus de la misère à y croire. Visiblement, je ne fus pas le seul.

– Ouais, pis la pluie, là-dedans ? On parle toutes des charognes, mais la pluie, on peut parler de ça, aussi.

– La pluie, c'est pas dans « Varia », ça ?

– Ç'a rien à voir ! Laissez-le parler.

Après plusieurs échanges plus ou moins pertinents, attestant de l'absence d'animaux morts sur le bord des routes de la région, on s'entendit pour dire que les charognes avaient disparu. On passa au deuxième thème à l'ordre du jour : qu'allions-nous faire ?

À ce sujet, tout le monde sembla perplexe. Que pouvait-on faire ? On n'était quand même pas pour trouver des animaux, les tuer et les déposer un peu partout. Les Charognards possédaient un fonds de réserve prévu pour de telles situations, mais quand on se rappela qu'une grosse partie de la somme qu'ils avaient pu amasser avait été « empruntée » pour financer le BBQ annuel des Charognards, le moral général descendit d'une ou deux coches. On allait devoir s'en remettre aux contrats de pige offerts par les différentes voiries municipales du coin : sans doute saurait-on trouver du boulot, comme les tâches de dépannage, de réparation et d'excavation qu'on avait effectuées les jours précédents, Jacques et moi.

Puis, un membre plus agressif prit la parole en se levant sur son tabouret. La boucane arrivait exactement à la hauteur du siège et je jure qu'on aurait dit qu'il volait. Tout le monde l'écouta. Il se présenta en tant que porte-parole d'un petit groupe de Charognards qui soupçonnaient une trahison de Sanimal ou de Brugessen : le pacte tacite de non-agression réciproque avait été rompu selon eux, et les Charognards allaient devoir prendre le taureau par les cornes. Je vis alors se déployer un arsenal de fortune. Ils ne prévoyaient pas commettre ouvertement des gestes violents – quoique, à en croire certains membres dont la diction, l'éloquence et le surplus de salive aux commissures des lèvres laissaient deviner un deux de quotient prompt à la violence, ça n'aurait su tarder – mais plusieurs jugèrent bon de prévoir au moins un moyen de défense.

Aussitôt, emporté par le ton virulent de la discussion, j'affirmai à qui voulut l'entendre que je ne me servirais que des techniques d'arts martiaux que m'avait transmises Sensei Fernand Fréchette-Huot, lors de mon entraînement intensif de l'hiver dernier, au Dojo Fréchette-Huot. Personne ne semblait savoir de quoi je parlais. Jacques Prud'homme et Wilhelm Kaiser restèrent discrets.

Une autre collègue nous montra son bâton de hockey au bout duquel elle avait attaché, avec l'aide d'un ruban adhésif, un ensemble de couteaux à steak. Elle s'était arrangée pour placer les couteaux de sorte qu'ils puissent tous rentrer dans l'espèce de bloc de bois servant normalement, à l'horizontale sur son comptoir de cuisine, de rack à couteaux. On l'aura compris, l'arsenal des Charognards rappelait plus celui d'un groupe de filous que celui de l'armée américaine.

Tout ceci était de plus en plus ridicule. Et Jacques Prud'homme ne manqua pas de le faire savoir aux collègues en projetant son tabouret sur le chandelier de plastique laissé sur l'autel. À ce jour, je n'ai jamais vu un groupe d'hommes et de femmes se taire aussi rapidement. Bien vite, on n'entendit que le bruit sourd de la machine à boucane et des néons. Jacques pointa l'homme qui avait suggéré la possible trahison des corporations.

– Là, on oublie ça, les charognes, Sanimal, pis toutes vos bébelles. Les animaux – pas les charognes ! – les *animaux* ont fui la région, pis je vais vous le dire pourquoi: regardez dehors. Ça fait combien de temps qu'il mouille, là?

Oh mon Dieu, les iris de Jacques étaient de la lave. Et je suis certain que s'il avait arrêté de fixer l'homme sur le tabouret pour regarder au sol, il se serait brûlé les pieds.

– Les animaux sentent qu'il se passe quelque chose, là. C'est pas magique, *c'est la nature*. Bientôt, les rivières vont peut-être déborder pis on sera pas plus avancés, à vouloir espionner les tatas de Sanimal. Il faut être proactifs. Il faut trouver une façon d'aider le monde, parce que je vais vous dire une affaire: si les animaux se mettent à foutre le camp, c'est pas bon signe.

Wilhelm Kaiser se leva à son tour et j'imagine que c'était à cause de l'élan qu'il s'était donné, avec ses jambes, pour bondir de son tabouret, mais la boucane le suivit en montant. Pendant un moment, il avait une barbe de fumée. Il parla avec un peu plus de sang-froid que Jacques.

– J'ai demandé qu'on se rencontre pour qu'on évalue ensemble le rôle des Charognards. Jacques a raison, on est pas des mercenaires, on travaille pour la communauté. La prophétie de François Trudel se réalise: c'est un déluge qui nous guette. Souvenez-vous de l'entraide et de la compassion. On doit se rendre utiles.

– On est pas des pompiers, quand même ! Y a des limites à aider le monde.

– Jacques Prud'homme qui nous dit d'être proactifs, est bonne, celle-là !

Après ce dernier commentaire, les discours se mêlèrent et je perdis le fil. On s'engueula d'un côté, on conspira de l'autre : la troisième partie de l'assemblée extraordinaire fut un échec cuisant. Avant longtemps, la boucane envahit l'espace du plancher au plafond suspendu, et ça devint intenable.

Dehors, Jacques, Kaiser, quelques Charognards moins belliqueux et moi décidâmes de suivre une sorte de code d'éthique parallèle : il n'y aurait plus d'équarrissage. Dans le camion, je ne reconnaissais pas mon patron. Il sautillait sur son siège en parlant et en conduisant.

– Sais-tu ce qu'on va faire ? On va construire des digues, mon homme. Demain, amène ta plus grosse pelle, et pis demande à ton proprio de te prêter une brouette. On va creuser !

La pénurie de charognes aurait dû me réjouir parce qu'elle signifiait, en quelque sorte, que moins de bibittes mouraient, ou qu'elles mouraient à un rythme beaucoup plus lent. Pour l'environnement, pour le patrimoine naturel de Brome-Missisquoi, c'était une bonne nouvelle. Par contre, elle me rendit triste parce qu'elle marqua la fin d'un stage de travail en queue de poisson monumentale – en queue de baleine, oui. D'ailleurs, le fait même de me sentir triste à ce sujet, et d'attribuer une valeur pécuniaire à quelque chose d'aussi antipécuniaire qu'un animal mort contribua grandement à ma mélancolie.

Je songeai à retourner voir la licorne du centre d'emploi mais, dans tout son entrain, Jacques me convainquit d'attendre que les choses se tassent. Et pour se tasser, le flot augmentant de la rivière Yamaska à l'appui, avec ses nombreux débordements et l'impression que tout le territoire de Brome-Missisquoi rétrécissait graduellement, je peux dire qu'en effet, les choses se sont tassées.

3.

Faire des bonds

Balaie identifie ramasse dompe

Le temps et son accélération finirent par me rattraper quand mon appartement fut inondé. Mes nombreuses tactiques de défense contre une intrusion à domicile ne me servirent pas à grand-chose. C'était le soir. Je prenais ma douche quand je remarquai d'abord que le drain paraissait bloqué parce que l'eau s'accumulait à mes pieds. Je rentrais souvent très crotté du travail, avec toute la boue et la saleté qui nous collaient à la peau depuis le dé-but des pluies, alors l'eau brune qui commençait à sortir du drain me donnait seulement l'impression d'être exceptionnellement sale, c'est pourquoi mon premier réflexe ne fut pas de fermer l'eau, mais plutôt de me frotter plus vigoureusement avec le savon. Puis, je compris que c'étaient plutôt les égouts qui refoulaient et, immédiatement, je coupai l'eau et sortis de la douche. Sur le plancher de ma salle de bains, les objets commençaient déjà à flotter sur un pouce d'eau : je vis la dizaine de rouleaux de papier de toilette que j'avais empilés près de la cuvette qui formaient un quai de coton jusqu'à la porte. Dans le salon, le tapis avait des poils plutôt longs, alors quand j'y déposai un pied, l'eau et le tissu me glissèrent entre les orteils comme une vase de sable et d'algues au fond d'un étang. Puisque je ne passais l'aspirateur qu'une fois aux trois semaines, ça ne rendait certainement pas l'eau plus claire. Je regardai un peu partout, à la recherche d'objets qui traînaient par terre et que je ne voulais pas perdre et j'aperçus le lecteur optique au pied de mon lit. Je le lançai vite sur le matelas au moment où Maurice frappa à ma porte : «Ouvre ! On va t'aider !» Heureusement que l'unique miroir que je possédais se trouvait entre ma chambre et la porte d'entrée, je pus donc me voir et remarquer que j'allai ouvrir la porte complètement nu. Ce fut ensuite la voix de Valvoline que j'entendis, et avec elle, l'urgence se fit sentir : *je devais sortir d'ici.*

– Envoueille ! Faut qu'on sorte tes choses !

– Deux secondes !

Je ramassai la housse sur le divan, une espèce de courtepointe à motifs amérindiens que j'avais achetée au Korvette, je l'enroulai autour de ma taille et j'ouvris. Je leur tournais déjà le dos quand ils entrèrent. Il fallait mettre des vêtements, penser à ce que je voulais emporter, faire des tas d'objets ici et là, pour mieux les ramasser. Ma collection de pierres resterait ici, mes livres devaient être sauvés. Non. Avant tout, il me fallait des vêtements, je devais maintenant, immédiatement penser à mes besoins primaires, la pyramide qu'on nous avait montrée dans les cours de FPS. Respirer, avoir un abri, manger. Faim, j'avais vraiment, extrêmement faim, aussi. Non, je ne viderais pas mon garde-manger! Il me fallait des souvenirs. Je devais penser aux photographies de l'été où je travaillais au zoo, dans l'album bleu où se trouvaient également mes cartes de hockey de valeur – Pavel Bure, recrue des Canucks de Vancouver, photographié en patins à roues alignées sur la rambarde d'une piste cyclable de la côte ouest américaine; ou Gilbert Dionne, recrue des Canadiens de Montréal, penché sur son bâton comme avant une mise au jeu protocolaire, souriant et regardant légèrement à la gauche de la caméra. Des souvenirs, donc, parce que le reste serait submergé. Je ne devais pas penser à Savage Mills.

Maurice se dirigea vers le panneau de fusibles pour les éteindre, tandis que Valvoline s'affairait déjà à débrancher les appareils électroniques – la télévision pouvait rester ici, je m'en foutais bien, mais tous mes films devaient sortir! Oh mon Dieu, le tapis était maintenant mou, décollé par l'eau, et des morceaux de poils flottaient parmi les objets déjà atteints. Qu'est-ce que je faisais? Je balayai l'appartement du regard, j'identifiai ce qui partait, ce qui restait, je le ramassai, je le dompai dans le tas sur le lit. Maurice nous distribua des lampes de poche pour accélérer le travail. Balaie identifie ramasse dompe. Il fallait que je réfléchisse, que j'agisse aussi, parce que le niveau d'eau augmentait à vue d'œil, elle ruisselait d'entre les fentes des trois fenêtres sur le mur du salon comme une fontaine commémorative, ou ces urinoirs en forme de barils métalliques qui permettaient à plusieurs hommes de pisser en même temps, leur flot d'urine se mêlant à la cascade filigranée pour couler dans le dalot, à leurs pieds.

Le mur était couvert d'un filet d'eau qui faisait tout briller, la cave était une grotte dont les parois reflétaient nos faisceaux de lampes de poche en milliers de petits diamants rutilants. Qu'est-ce que je fais dans la vie ? Balaie identifie ramasse dompe. Je vidai tous mes tiroirs sur mon lit et je nouai les quatre coins de ma couette pour en faire un baluchon de fortune. On avait désormais de l'eau jusqu'aux genoux. Comme tous mes meubles provenaient de sous-sols d'églises, je ne fus pas exactement triste de les laisser là ; seulement, je sentis une petite panique m'envahir quand je pensai au fait que tous ces objets disparaîtraient de ma vie. Je me souviens que, dans l'élan que je pris au moment de sauter les trois premières marches qui m'amèneraient à l'extérieur, je prononçai un «adieu» inaudible à ces objets que je laissais derrière, sur lesquels ma poussière, mes particules de peau et mes empreintes digitales s'effaçaient peu à peu.

Le temps et mon rythme cardiaque se calmèrent quand, une fois sorti, Maurice me fit signe de le suivre dans la camionnette qui nous amènerait au gymnase du Mont-Sacré-Cœur, à Granby. Valvoline était assise à mes côtés. Derrière la camionnette de Maurice, il y avait en remorque un zodiac qu'il utilisait habituellement lors des longues fins de semaine de pêche. Je demandai à mon amie de repêcher le lecteur optique au fond de mon baluchon. Il semblait fonctionner : quand je balayai la gorge de Valvoline, l'écran de mon lecteur optique afficha un *Turdus migratorius*. Elle était alors pleine d'énergie, probablement excitée par le danger auquel on venait d'échapper. En regardant ce qui était écrit sur l'écran à mon bras, elle se pencha la tête assez près de mon nez pour que je sente son shampooing : du gazon fraîchement coupé en été, au soleil. Elle me rappelait la banane, une toile jaune en plastique qu'on déroulait dans la cour et qu'on arrosait avec le boyau du jardin pour glisser. On finissait toujours couverts de gazon.

– Écoute ça : entre voler pis être invisible, c'est l'idée de la justice qui fait la différence. Lequel des deux pouvoirs permet de combattre le crime de la façon la plus complète et efficace ?

– Euh, j'ai pas trop pensé à ça, tsé.

– Dans un braquage de dépanneur mettons, ça te donne pas grand-chose de voler, à moins d'être dans un dépanneur ultramoderne, tsé avec un plafond cathédrale comme en sortant de l'autoroute 10, à Bromont. Encore là, imagine que tu voles au-dessus du criminel. Après, tu fais quoi?

– Très simple: tu lui sautes à pieds joints dans le visage.

– OK. Un vol à l'extérieur, une agression dans une ruelle par exemple, je pense que ça fait aussi plus appel à l'invisibilité qu'à la capacité de voler. Tu pourrais prendre un grand élan et faucher l'agresseur en volant. Mais être invisible te permettrait de le surprendre encore une fois. Il serait dans la ruelle, en train de frapper sa main avec son poing pour intimider, je sais pas, la jeune collégienne qui rentre de la bibliothèque.

– Euh, d'accord.

– Et, tout à coup, ses pantalons se retrouveraient à ses chevilles. Là, la victime réagirait probablement avec un coup de pied ou en se sauvant.

– C'est ridicule, Val. Il faut que t'envisages l'invisibilité autrement que dans une situation où tu peux baisser les culottes de quelqu'un, arroser quelqu'un ou attacher ses lacets pour qu'il trébuche quand il veut courir. Ç'en dit long sur tes motifs pour être invisible… Tu serais le premier clown invisible.

On arriva au Mont-Sacré-Cœur par l'entrée des frères et je fus tout étonné de constater que la piscine et les courts de tennis avaient disparu. À leur place se trouvaient deux immenses jardins qui ressemblaient plus à des gros champs de boue, à force de se faire pleuvoir dessus. On fut accueillis par trois hommes, dont un religieux qui dirigeait les voitures dans le stationnement. Je commençais à avoir hâte d'être au chaud, mais Maurice ne put s'empêcher d'aborder les hommes.

– Hé ! Monsieur le frère ! Mon courtier d'assurances appelle ça un *Act of God,* vous en pensez quoi ?

– Plus comme un *Act of Prud'homme.*

– Un complot *contre* Dieu. Ils effacent le territoire, mon fils, et la seule chose qu'on verra dépasser de l'eau, quand ils auront fini, c'est une série de clochers.

– Ha ! Ha !

– Une suite de bouées en forme de crucifix.

Normal

Ce sont toujours les choses que je fais dans la plus grande intimité qui m'amènent à me questionner au sujet de la normalité. Ce que je fais et la manière dont je le fais me semblent habituellement très normaux, et je me sens très à l'aise avec ça, normalement. Mais il y a toujours une sombre inquiétude qui plane dans mon esprit alors même que je m'exécute.

J'obsède sur l'idée de la normalité dans les activités les plus élémentaires. Le fait de verser le bon vieux sirop d'érable sur les bonnes vieilles gaufres en remplissant équitablement chaque bon vieux carré : c'est normal ? Le fait de verser le savon à vaisselle un peu partout dans le fond du bon vieil évier avant d'ouvrir le robinet, de sorte que la bonne vieille mousse grossisse plus rapidement jusqu'à ce que le niveau d'eau ne permette plus l'émergence de nouvelles bulles et que la même bonne vieille mousse ne fasse que flotter et que le ratio eau-savon optimal soit maintenant complètement dépassé. Qu'est-ce que c'est? Les bons vieux coups de pied dans le vide, le bon vieux balayage au lecteur optique, le bon vieux dilemme entre voler et être invisible, etc.

Valvoline et moi avions fait le tour de la question plusieurs fois, dans le pensionnat du Mont-Sacré-Cœur et rien ne semblait réellement clos. Nos discussions se terminaient toutes par une tautologie du genre «c'est ça qui est ça» ou «en tout cas».

Quand le barrage Choinière s'ouvrit et que la rivière Yamaska, qui débordait déjà un peu partout dans la région, commença à tout inonder, les gens se mirent à se demander si une quantité aussi phénoménale d'eau était normale. Ils plissaient les yeux devant les champs devenus des lacs. Ils fermaient leurs fenêtres et leurs rideaux quand la pluie tombait à l'horizontale. Ils rentraient les chiens et les chats dans leur garage, puis dans leur sous-sol, et enfin dans leur salon.

En chaloupe, ils allaient au bord du chemin chercher le journal dans leur boîte aux lettres et un *Flux régional* s'y trouvait toujours, immanquablement. Dans certains villages plus creux, on remplaça même les autobus des camps par des pontons qui avaient été perquisitionnés par les autorités. Les gens voyageaient en bateau avec des vestes de sécurité. La vie continuait et plus le niveau d'eau et la force des torrents augmentaient, plus les gens semblaient vouloir s'ancrer dans un quotidien normal.

– Le voisin a fait tuer sa génisse en fin de semaine.

– Laquelle ?

– *Sa* génisse, là. Il paraît que maintenant, c'est sa femme qui est déprimée.

– Je savais même pas qu'il aimait une génisse en particulier. Il m'a toujours paru ben blasé, le voisin. Je pense qu'il a des gènes blasés d'être des gènes. Même les poils sur ses orteils ont l'air blasé. Il est blasé d'être blasé.

– Pas juste ça, j'ai entendu du monde parler au potager : il paraît que sa femme pis lui, c'est pas ben fort depuis qu'il arrête pas de l'écœurer avec ses histoires de complot contre la région. Il dit que c'est les Américains qui nous inondent comme ça. Ça fait que sa femme déprime, en plus de la génisse morte.

– Je comprends, ça se blase mutuellement, ce monde-là.

Je me mis à voir la population de Brome-Missisquoi comme ces horribles caniches royaux qui sortent d'un service de toilettage ultrasophistiqué. Ils ont le poil en chignon, en toupet, en bottillons, et les maîtres les promènent comme s'ils étaient un ensemble de porcelaine sur quatre pattes. Mais un chien est un chien, bâtard. Donnez-leur la chance et ces caniches de luxe foutront le bordel dans une marre de boue, comme si c'était la seule chose à faire. Les gens avaient beau refuser la nature, elle finirait par entrer de force dans leur salon.

Le lendemain de l'inondation de mon appartement – je crois que c'était autour du 9 juillet – le lendemain, donc, il fallut un certain temps pour que Jacques arrive à Granby. Il n'avait pas perdu son zèle de l'assemblée extraordinaire des Charognards, il avait seulement eu quelques difficultés à me retracer, après mon déménagement spontané. On put emprunter au jardinier du Mont-Sacré-Cœur les instruments nécessaires et notre première destination fut l'école primaire Saint-Léon, de Cowansville. La rivière Yamaska commençait à s'approcher dangereusement des fenêtres des classes et, quand on arriva sur les lieux, les autorités songeaient déjà à faire sortir les enfants du camp de jour, qui passaient le temps dans le gymnase, à jouer au hockey avec des bâtons miniatures et des bouts de papier, et à sauter à la corde en chantant des vieilles comptines. On jugea que ce n'était pas une bonne idée d'alerter tout le monde, alors les policiers firent venir un immense voyage de terre : on bâtit une levée autour de l'école. Le directeur de l'école estimait que ce serait amplement suffisant pour retenir l'eau de la rivière. Encore ici, une sorte d'insouciance accablante régnait : pas de trouble, ce n'est rien, vous perdez votre temps.

Heureusement, le camion de Jacques avait déjà servi sur le Mississippi, et il était assez fort et étanche pour circuler dans près de quatre pieds d'eau, ce qui nous donna une liberté très précieuse, alors qu'il restait encore une majorité du territoire qu'on pouvait traverser sur la terre ferme. Bientôt, si les flots continuaient à se déchaîner de la sorte, on allait devoir se contenter de la chaloupe des Charognards.

Pour contraster avec la normalité troublante des citoyens, on se mit à parler de plus en plus de l'eau, du vent, de la catastrophe qui grossissait et se faisait toujours plus féroce. Valvoline me dit, ce soir-là, qu'elle avait dû fermer boutique au Shell de Saint-Ignace parce que les eaux de la rivière aux Brochets s'étendaient maintenant à perte de vue, rejoignant celles de la rivière Yamaska, et qu'elle trouvait ça trop beau et anormal pour rester dans une croisée de chemins à attendre la venue d'un rare client. Elle sortit plutôt et se mit à marcher vers Bedford avec une longue tige qui ressemblait à une canne à pêche. Tout au long du chemin, alors qu'elle longeait la 235 dans les champs et bosquets du coin, l'eau lui montait parfois jusqu'aux genoux. Elle passa devant le cimetière où on a enterré trois de ses grands-parents et deux des miens, et rendue aux gigantesques tas de sable de chez Lévesque et Frères, elle ne put s'empêcher d'en grimper un pour admirer le territoire. Elle pouvait voir l'église Saint-Damien et le centre-ville de Bedford au sud, le patelin de Mystic derrière elle, au nord. Évidemment, ça ne l'élevait pas assez à son goût.

Elle souhaita pouvoir voler pour observer l'océan de deux pieds de profondeur qui submergeait la région et soulevait des tas de choses qu'on ne soupçonnait pas d'être cachées dans le coin. Elle décida alors qu'avec un peu de chance, elle pourrait embarquer avec quelqu'un dans sa chaloupe et qu'il lui resterait assez de temps pour se rendre au Mont-Sacré-Cœur avant la noirceur.

En chemin, plusieurs objets dérivèrent sur son passage. Elle conserva les plus intrigants et laissa flotter ceux qui ne l'intéressaient pas, ce qui lui permit d'amasser graduellement un attirail éclectique qu'elle faisait glisser derrière elle à l'aide d'une corde et d'un couvercle de poubelle en plastique. Bientôt, elle dut trouver un autre couvercle ou changer de système de flottaison pour transporter les perles qu'elle ramassait: une bouteille de Lucky One dans laquelle se trouvaient des photographies de voitures sport enroulées comme les pages d'un message à la mer, un cadre montrant les frères et sœurs d'une famille visiblement très proche, un gant de vaisselle, une soucoupe volante en modèle réduit, un quarante-cinq tours de Son House, une bouée de sauvetage provenant d'une piscine municipale de Plattsburgh, un cabaret Budweiser en métal, un coffre de bijoux plus ou moins précieux, une vieille paire de lunettes, une trentaine de foulards de scouts attachés bout à bout en une longue corde bleu et jaune, des cartes de hockey de toutes les époques, cinq portefeuilles vides, des bougies, un crucifix, une casquette John Deere.

À partir de maintenant, Valvoline se donna le mandat d'amasser le plus d'objets précieux possible. Quand Jacques arrêta son truck devant elle, il lui offrit de s'asseoir sur le meuble qui nous séparait. Elle voulait rentrer au Mont-Sacré-Cœur pour prendre le zodiac de Maurice.

En chemin, Valvoline nous fit remarquer que les gens, selon elle, n'avaient pas la bonne réaction par rapport aux inondations : au lieu de quitter la région, de paqueter nos petits et de se rendre à Belœil ou en Beauce ou à Montréal comme certains avaient déjà fait, on s'approchait graduellement des monts Pinacle, Glen, Sutton, Shefford, Brome, Gale. Sur la 241, entre Cowansville et Bromont, on vit des milliers de citoyens s'entasser en tentes, en pontons, en tracteurs, sur des plates-formes de cages de balles de foin, dans des chaloupes, au pied des monts de la région, guettant subtilement la rive qui montait.

Il fallait croire que le réflexe de Valvoline de sortir du Shell et de gravir le tas de sable avait quelque chose d'instinctif, elle avait perçu un danger possible et elle s'était poussée vers un lieu sûr. On ne soupçonne pas l'instinct d'être à ce point prévoyant, on le connaît comme étant pulsionnel, spontané, réagissant sur-le-champ à une situation de danger immédiat. Ici, me surprit l'instinct qui nous guidait tous, presque inconsciemment, dans un lieu stratégique, même si le danger ne sautait pas aux yeux.

Parlant de normalité, mon lecteur optique se mit enfin à fonctionner normalement, en dépit de l'humidité qui faisait grincer son plastique. Je le passai sur le cabaret Budweiser que Valvoline avait ramassé, et il m'envoya chercher un cabaret Budweiser. Je le passai sur Valvoline et il m'envoya chercher un humain de cent quatre-vingt-quinze livres.

Peut-être que pour chaque objet lu, l'entrepôt de McStetson Canada inc. recevait une commande pour la même quantité de ce même objet, à inclure dans son inventaire. J'imaginai de quoi aurait l'air l'entrepôt, quand j'irais leur redonner leur bidule... Ils auraient certainement bâti une nouvelle aile. J'avoue que, parmi les nombreuses histoires qu'on entendit cet été au cours de 2005, ce petit machin électronique est sans doute ce qui m'épata le plus.

Recettes

On oublie d'en parler, la plupart du temps, quand on se remémore les événements de l'été 2005, mais l'abondance de pluie, les chéneaux débordant et les frontières s'effaçant auront permis de faire une découverte inespérée chez les Charognards. Je crois qu'en vérité, de façon générale, tout le monde préfère faire disparaître de la conscience collective tout ce qui est lié au déluge de 2005.

— C'est pas comme si on avait grand-chose à raconter. L'espace au complet a été rasé. Nos histoires avec.

— Il faut pas s'énerver avec ça. Avec les assurances pis le gouvernement, moi je pense qu'on va être gagnants au change. Qu'on laisse à nos descendants le problème des histoires, des genèses, de la renaissance. Ils seront sûrement bons là-dedans.

— Meilleurs que nous, en tout cas. Peut-être. Je sais pas.

– Ce qui nous intéresse, dans le fond, c'est le mouvement.

On déambulait, Jacques et moi, parce qu'on était parmi les seuls à pouvoir encore le faire, grâce au gigantesque truck de Jacques. On déambulait, donc, un après-midi, autour du 13 juillet, alors qu'il pleuvait depuis bientôt quatre semaines, et certains endroits du chemin Favreau étaient impraticables, au point qu'il fallait passer sur le terrain de citoyens de Dunham qui avaient probablement plié bagages pour gagner le Pinacle au début du déluge. De toute façon, à ce stade-ci, il était vraiment difficile de différencier la route de quoi que ce soit d'autre, le territoire s'effaçait peu à peu.

Après quelque temps à traverser le terrain submergé, Jacques freina brusquement et quitta son siège d'un coup. Je l'imitai et me retrouvai dans un mètre d'eau – la surface arrivait tout juste en dessous de l'ouverture de mes jambières imperméables. Pour vérifier ma mobilité, j'essayai d'envoyer un coup de genou à un adversaire fictif et me dis que si jamais on était attaqués, je devrais me contenter de mes poings, ce qui n'était pas si mal, si on considère que je connais plus de soixante-quatorze façons de tuer un homme seulement avec mon pouce, mon index et mon majeur. Jacques courut ou pataugea vers l'arrière du truck en m'ordonnant de le suivre. On était à quelques mètres du chemin Favreau, à deux kilomètres de la colline aux Bleuets, et voilà Valvoline à bord de son zodiac, avec une réguine qui servait d'ailes, mais dont les plumes étaient remplacées par du filet de pêche. Elle était vêtue comme nous d'une combinaison imperméable, sauf qu'elle traînait une bonbonne d'oxygène sur une espèce de radeau miniature et elle portait un masque de plongée à travers lequel je devinai son regard paisible habituel.

Ses ailes de filet étaient repliées et elle ne regardait pas du tout le sol. Quand Jacques lui demanda ce qu'elle tenait sous son bras, elle lui tendit un gros cartable vieilli sur lequel on pouvait lire le mot «Recettes». Au début, je croyais qu'elle avait retrouvé les plans d'équarrissage spatial de François Trudel, dont Jacques m'avait parlé. J'imaginai une série de gribouillages, de calculs mathématiques et de plans de navettes spatiales. Et des dessins d'animaux extrêmement réalistes, puis vers la fin, de plus en plus monstrueux. Je patentai alors une sorte de parapluie en ouvrant mon manteau et Jacques ouvrit le cartable détrempé : c'était le bestiaire de charognes que Valvoline avait constitué depuis le Shell, à partir des récits des citoyens, truckers, jobbeurs et cultivateurs qui passaient dans le coin. Quel hasard incroyable de retrouver ça ici, à l'est de Dunham !

Dans le document, on trouva une série de petits récits d'une ou deux lignes, racontant de façon très factuelle les différentes façons dont chaque animal aurait pu mourir, accompagnés d'un dessin plutôt minutieux. Chaque nouvelle page contenait au moins douze charognes, donc douze fiches de pseudo-autopsie. Selon mon évaluation de l'épaisseur du cartable, il devait y avoir au moins mille cinq cents récits compilés. Valvoline me montra ensuite une série de pages, vers la fin du cartable. C'étaient ses retranscriptions d'une partie de mes lectures optiques

– Tu trouveras pas ça au Korvette, en tout cas !

Chaque portrait de bestiole me transmit une onde troublante : je connaissais ces récits, j'avais ramassé un certain nombre de ces bêtes. Valvoline semblait flotter. Retrouver quelque chose qui lui appartenait, dans les millions de débris du déluge, c'était comme rencontrer une vieille connaissance dans une foule. Jacques, lui aussi, était impres-sionné.

– On dirait que t'étais pas le seul à faire l'inven-taire de la région…

On conserverait plus tard le bestiaire morbide de Valvoline, comme une relique. Les Charognards s'en serviraient comme texte fondateur. Ils s'y ré-féreraient lors de leurs réunions de formation : page 35, 26 juin 2004, « Renard aplati à plusieurs reprises par différents pneus »; page 158, 3 juillet 2004, « Chaton frappé au crâne par un pare-chocs

de voiture»; page 12, 25 août 2003, «Écureuil –
mort inconnue parce qu'une quantité d'urubus se
sont affairés à le dépecer, rendant tout diagnostic
impossible.»

Tératogénèse

L e plus possible, j'essaie d'éviter les endroits
fréquentés par des familles complètes : les res-
taurants thématiques, les parcs d'attractions, les
jardins zoologiques, les parcs, les plages, les salons
funéraires. Dans les centres de villégiature, d'hé-
bertisme ou de combats plus ou moins stratégiques
avec des fusils à laser et des plastrons-récepteurs,
je finis toujours par devoir me joindre à un duo
père-fille désirant affronter un trio mère-fils pour
voler leur drapeau ou pour compléter des épreuves.
C'est gênant, d'autant plus que ça implique toujours
une question du père au sujet de mon occupation,
ce qui est généralement suivi d'un signe d'affection
dirigé vers la fille : il ne voudrait pas qu'elle fré-
quente un garçon comme moi.

Elle verra un pharmacien ou un ingénieur en
bâtiments qui n'en aura rien à foutre de voler ou
d'être invisible, ou même de trancher la question,
qui cherchera quotidiennement à accélérer le temps,

et qui préférera des sujets terre à terre comme l'engrais sur la pelouse. Des affaires qui ne m'intéressent que par la quantité d'anomalies génétiques possibles qu'elles suggèrent, indirectement – on a tous vu ce reportage au sujet des enfants d'un géomètre-arpenteur de Magog qui sont nés avec une paire de tibias, de chevilles et de pieds en trop. Et on a tous remarqué l'absence de mauvaises herbes sur le terrain du géomètre-arpenteur, à Magog, pendant le reportage.

La fille du père qui ne voudra jamais d'un gendre comme moi sera de celles qui marieront les géomètres-arpenteurs de Magog et qui enfanteront peut-être des bébés bioniques à cause d'un taux excessif de substances tératogènes comme le dioxyde ou le diéthylstilbestrol dans leur cour arrière.

– Pis, tu fais quoi dans la vie?

– Euh, je me cherche une place.

J'avais cet âge embêtant où les gens ne me demandaient plus ce que faisaient mes parents. Ils commençaient par moi, me demandaient d'où je venais, ce que je faisais, en supposant d'entrée de jeu que mes parents étaient aussi au courant, que c'était trop tard, de toute façon, que dorénavant, ça ne concernait que moi.

Je raconte ça parce que, pendant le déluge, on ne croisait que des familles complètes, les gens se déplaçaient en troupeaux et ça m'aurait angoissé au plus haut point si Valvoline n'avait pas été là pour me servir d'ancrage. Au Mont-Sacré-Cœur, on avait maintenant collé nos lits d'armée parce qu'il faisait extrêmement froid dans le gymnase et on ne voulait pas vraiment se joindre aux autres familles complètes.

— Si tu voles, ça doit changer ton rapport au temps. Ça doit étirer, ou contracter le temps.

— Ça l'accélère.

— Bon, ça veut dire que si je décide de voler…

— Ça le contracte, Valvoline, ça le contracte, plutôt.

— Plus je me déplace vite…

— Plus le temps, euh, s'étire. Einstein disait, dans le tramway à Berne, que plus on va vite, plus le temps est lent. Donc, il s'étire. C'est mêlant.

— Ça fait que, si je décide que je suis capable de voler, je vais vivre plus longtemps que tout le monde.

— Si on mourait tous les deux à quatre-vingt-quatre ans, et si tu étais la seule à pouvoir voler, tes quatre-vingt-quatre ans à toi, disons, vaudraient pas mal plus que les miens en matière de temps.

— Dépendamment du nombre de fois où j'aurais volé très rapidement. En matière de temps.

— Exact.

— Pis, tu sais ce qu'ils disent.

— Que le temps, c'est de l'argent.

– Est-ce qu'on serait plusieurs, comme ça, à pouvoir voler ?

– Pourquoi pas ?

– Des gars comme Jacques Prud'homme, ça vole probablement déjà.

– Non, lui, c'est autre chose. Supposément qu'il multiplie le temps. Mais, de toute façon, il a arrêté maintenant.

– Donc, on pourrait être plusieurs à voler.

– Il fractionne le temps, plutôt. C'est mêlant.

– On se ferait avoir dans nos paies, en tout cas. Si un ouvrier qui vole charge vingt-cinq dollars de l'heure, son temps vaut pas mal plus que ça. Il faudrait un syndicat spécial pour les voleurs. Euh, les, ceux qui volent.

– T'es trop honnête, Val. Moi, si je volais, je ferais le travail d'une journée en une heure. Je passerais le reste de la journée à niaiser, et je chargerais l'équivalent d'une journée de travail. Imagine, tu ramasses toutes les charognes de la journée avant le *lunch*.

– Sauf qu'éventuellement, t'aurais devancé la production de charognes. Et là, ce serait le chômage, mon homme.

– À moins d'être capable d'anticiper les charognes. Tandis que si t'es invisible, ça change rien à ta journée de travail. Sauf peut-être l'idée de poinçonner ta feuille de temps et de disparaître jusqu'à ce qu'il soit temps de la poinçonner de nouveau, à la fin de la journée. Mais ça reste pas mal plus louche, dans la mesure où le travail serait pas fait.

— Jacques Prud'homme, il fait rien au temps. C'est la matière qui l'intéresse, lui. Il la plie, la change, la fait fondre, la pulvérise.

— …

— Quand il réalisait quatorze exploits exactement en même temps, dans quatorze endroits différents, par exemple. Là, c'était son propre corps qu'il fractionnait.

— Hé, ça te travaille un cerveau, ces questions-là.

— Penses-tu que, si je volais, je pourrais voir où elles sont toutes parties, les charognes ?

— *Anyway*, on le sait : Jacques Prud'homme, ses fractions, c'est de l'histoire ancienne.

— Sais-tu comment je sais que tu m'aimes ?

— Euh.

Disparitions

Avec Jacques, je crois avoir creusé plus d'une vingtaine de digues et bâti autant de levées. On réussit même à rallier la plupart des Charognards dont l'opération d'espionnage s'était avérée infructueuse. Partout dans la région, des membres de l'organisation faisaient parler d'eux. Jacques Prud'homme regagna un certain statut de célébrité, mais personne ne vantait les exploits qu'il avait accomplis seul. Je crois que malgré tout, sous la pluie toujours plus abondante, alors que le territoire rétrécissait toujours de plus en plus, sous l'assaut des flots des rivières, les gens commençaient à oublier le Jacques Prud'homme folklorique. On n'avait plus le cœur aux récits mythiques.

Je rêvais souvent que je me tenais sur le bord d'un cours d'eau qui ressemblait à la rivière aux Brochets au printemps, vis-à-vis de Frelighsburg et, à tout moment, une personne que je connaissais passait dans le torrent en me tendant la main. J'attrapais la main de la personne et ne pouvais la tenir que quelques secondes parce que, maudit, je me rendais compte que je portais des gants de vaisselle qui me tombaient des mains au fur et à mesure que le courant poussait la personne que j'essayais de sortir de l'eau. Quand elle finissait par disparaître, emportant le gant, ma main était aussitôt couverte d'une substance jaune qui durcissait et se transformait en gant de vaisselle. Puis, je voyais une autre personne que je connaissais et l'exercice se répétait : agrippe la main, perd la poigne, constate l'absence, observe le gel jaune, remarque la prochaine personne, tend la main. Je me souviens que chaque fois que j'arrivais à retenir la personne qui passait sous mes yeux, nos regards étaient chargés d'une quantité incroyable de données. On échangeait, pendant de précieuses secondes, l'essentiel de ce qu'on pouvait échanger dans un temps réel, comme un transfert de fichiers en vrac.

On permutait, bâtard. Une permutation de disques durs, sauf que l'expérience s'inversait quand on se quittait, chacun reprenait son information en ne laissant que ce qui flottait entre les deux, ce qui avait été partagé et vécu en simultanée.

Les choses et les gens disparaissent. Je me souviens d'avoir regretté l'aspect cliché de cette série de rêves : partout, quand on raconte un rêve, on ne fait que décrire les choses qui fuient, les pertes de contrôle.

– J'étais au milieu d'une présentation orale et mes dents se sont mises à tomber, une par une.

– Je glissais sur une plaque de glace interminable, me tortillais, m'étirais en vain pour m'accrocher à des objets.

– Je me suis levé un matin pour m'apercevoir que je parlais plus ma langue maternelle mais plutôt un langage mathématique dont chaque chiffre sortait de ma bouche comme des bulles de savon pour éclater sous mes yeux.

Ce n'est pas un hasard si les choses ont tendance à disparaître. Einstein parlerait de la nature relative du temps. Je dis qu'on ne peut pas être à ce point obsédé par notre passé, par l'idée de conserver les traces de nos origines, en se projetant aussi vite vers l'avenir. C'est absurde.

Je comprends la réaction du grand-père de Valvoline, en revoyant Savage Mills. Il s'est dit: «Tiens, voilà ce qui reste aujourd'hui de mes origines. *Oh, well.*» Et puis, toutes nos tentatives afin de reconnecter avec le passé sont toujours comme le fait de lancer une roche assez loin sur un lac pour qu'elle atteigne le bon endroit, dans son lent mouvement vers le fond.

Épars

À la une du *Flux régional* du 17 juillet 2005, on put lire « La région s'éparpille ! » On y voyait une immense étendue d'eau sur laquelle flottaient divers éléments disparates – morceaux de revêtement de maisons, bouts de clôtures, panneaux de circulation – et, dans une chaloupe, des gens qui, comme Valvoline, essayaient de les récupérer.

On demanda à l'ensemble des Charognards de donner un coup de main à la voirie de Bromont pour déplacer, au sommet de la montagne, tout le matériel informatique et électronique de l'usine IBM. Ils installèrent une sorte de talus surélevé nous permettant de circuler au-dessus du niveau de l'eau dans une sécurité relative, mais étant donné qu'on avait dû réserver toute la pierre concassée disponible à la carrière DJL pour l'aménagement d'un barrage de déviation autour du Zoo de Granby et de l'hôpital Brome-Missisquoi-Perkins, les responsables de l'opération durent se contenter de poussière de roche, de sable et de terre pour bâtir un long corridor surélevé qu'ils croyaient bon de solidifier en incluant dans le mélange des souches, des racines et des troncs d'arbre, de vieux pneus, de la ferraille et tout ce qu'ils avaient pu trouver qui ne servait pas déjà à solidifier ou à retenir quelque chose.

Évidemment, tout ceci était planifié depuis des jours, on avait commencé à construire le talus dès les premières inondations, chez IBM, mais on n'avait pas prévu la possibilité qu'il pleuve davantage et que ça ramollisse le viaduc de fortune. Le résultat n'était pas très convaincant et on s'entendit tous pour dire qu'il était complètement cave de s'aventurer là-dessus à bord d'un camion : on risquait de rester pris ou de créer une brèche dans le talus. Alors, si le plan initial était de remplir des véhicules de matériel informatique et électronique pour l'emporter en haut du mont Brome, voilà que chacun devait se contenter de pousser une brouette le long du talus jusqu'au mont Gale, voisin beaucoup plus petit de l'autre. La plupart des gars de la voirie étaient des hommes forts et vaillants, mais pas très athlétiques ; ce genre de défi s'annonça pour eux comme une sorte de pèlerinage : sous le vent et la pluie, ils grimperaient et charrieraient leur tas de ferraille, de plastique et de circuits électroniques sur le plancher incertain du talus jusqu'au sommet, comme on monte à genoux les marches de l'Oratoire Saint-Joseph – ça représentait un aller-retour d'environ sept kilomètres.

Je commençai avec une boîte remplie de microprocesseurs, de serveurs et de disques durs externes, et n'ayant pas de brouette, je fis probablement plus « pèlerin » que les autres en plaçant la boîte sur mes épaules et en marchant le dos plié vers l'avant. Inutile de dire qu'il nous pleuvait dessus et que le sol était tellement meuble qu'on croyait marcher sur de l'eau solide ; il fallut que chaque pas soit fait en fonction d'un calcul des facteurs de perte d'équilibre et de dérive possibles, de sorte qu'on eut tous l'air de patiner de façon désarticulée. Ça me rappela le canal Rideau l'hiver, avec mes parents, mais il nous manquait une valse quelconque.

On devait avoir l'air de la pire suite d'imbéciles ou de pilleurs organisés, à la queue leu leu sur un viaduc de caca compacté. J'étais rendu à peu près à mi-chemin quand je croisai les premiers pèlerins qui revenaient du mont Gale. Ça partait mal, ils paraissaient détruits, à bout de forces, je ne croyais pas qu'ils retourneraient en haut. L'homme devant moi commençait à siffler, en boucles séparées d'intervalles inégaux, une suite de quatre notes ressemblant étrangement aux premières notes de « Over

---

251

the Rainbow», mais je n'arrivais pas à entendre clairement, à travers la pluie et mon souffle, qui se faisait d'autant plus pesant. Je me dis que ce serait tout simplement trop parfait de siffler cette chanson-là dans ce contexte. Alors j'oubliai ça. Je ne reconnaissais pas l'homme et on aurait dit qu'aucun des Charognards ne me suivait ou ne me précédait. Et probablement qu'aucun Charognard ne m'aurait reconnu s'il m'avait vu; on avait tous le visage noir et les vêtements gris. Je n'étais qu'un autre homme maussade et crotté qui traînait du matériel assemblé par des systèmes robotisés dont certains morceaux renfermaient des montagnes infinies d'informations sur une quantité incroyable de sujets – les photos de partys de bureau transmises par courriel à l'interne; le nouveau protocole de gestion d'approvisionnement pour la période du 09.08.89 au 09.10.89; le compte-rendu des négociations avec le fournisseur de mobilier de bureau pour la nouvelle aile construite en 1996; une quantité troublante de transferts d'un seul message impliquant le vol d'une boîte à lunch bleu marine avec une poignée jaune; l'annonce de la mise en branle d'un projet nommé «DocuSys» visant apparemment à colmater les écarts informatiques et statistiques entre les départements; le message d'anniversaire d'un fils à sa mère, qui est retourné à l'expéditeur pour cause d'adresse inexistante; un océan d'infolettres de la CSST; une quantité inestimable de pyramides schématisant les milliers de chaînes de courriels pandépartementales.

Toute la vie qu'on transportait à bout de bras, comme ça, sous la pluie, tandis que nos corps se raidissaient et se ramollissaient en alternance pour garder l'équilibre et que nos visages se crispaient lentement et longtemps – cette vie, donc, que contenaient ces plaquettes de plastique et d'alliages, me parut tout à coup très lourde à porter. Chaque morceau d'information devait contenir une porte de char qui s'ouvre et se ferme, un trousseau de clés qu'on brasse, une serrure de porte de maison qu'on débarre, une salutation désinvolte, une conversation sur le déroulement général de la journée, un geste d'affection posé à l'endroit d'un être cher, une montre enlevée, un verre d'eau, un oignon en rondelles et une pomme de laitue, un nœud de cravate défait, une barrette retirée, une angoisse complète et un soulagement partiel.

On n'avait aucune idée du poids réel de ce qu'on transportait. Mais je me plus à croire, en approchant le sommet, que l'essentiel à sauvegarder se trouvait par exemple dans l'utilisation systématiquement inappropriée de guillemets chez tous les responsables aux ressources humaines de tous les départements depuis l'ouverture de l'usine. En marchant, les quelques conversations qu'on entendait venaient résumer les milliers de discussions qu'il y avait eu partout ailleurs, depuis le début du déluge, et qui devaient obséder tous les peuples affligés par un fléau du même genre.

– Si on remonte euh, le fil, c'est clair que ç'a commencé avec ça.

– Qu'est-ce qui a commencé avec quoi? Quel fil? Il y a un fil?

– Non, non. Les choses arrivent toutes seules. Pas besoin, toujours, d'un élément déclencheur.

– Quatre buts en trois minutes, c'est-tu, euh, pas du surnaturel, ça? Ç'a de quoi troubler l'ordre, euh…

– Des choses de même, il s'en produit partout dans le monde sans que le monde se mette à remonter les fils.

– Qu'est-ce qu'il a, Phil? Encore sur la déprime?

– Non, mais, sauf que, il reste que ça doit prendre quelque chose, un choc euh, une secousse, quelque chose pour brasser le jeu. Pour faire dévier les trajectoires.

– Brasser le jeu? On parle-tu encore de hockey ou ben si on parle de poker? Moi, les gars, je vous suis pas. Phil!

– Pis euh, ben moi, je pense que c'est la *game*, c'est Jacques Prud'homme pis ses quatre buts qui ont comme renversé une logique dans la nature.

On grimpa maintenant la pente glissante menant au sommet. Sous les arbres, il pleuvait beaucoup moins, mais le sol était tout aussi instable : j'aidai trois fois l'homme devant moi à se relever en ne constatant qu'à la troisième fois qu'il s'agissait en fait de Wilhelm Kaiser. Les plis dans son front ne donnaient toujours rien à lire. Il me paraissait presque mort et me fit signe de le dépasser en s'assoyant par terre pour prendre son souffle. On échangea nos colis et j'héritai d'une brouette beaucoup plus chargée. Le reste de la procession et moi, on gravit des rocs qui nous donnaient un petit répit dans notre quête d'équilibre, mais qui ne prenaient pas de temps pour disparaître sous des ruisseaux improvisés et des flaques de boue. La brouette roulait devant moi la plupart du temps, mais je dus parfois la soulever par le côté pour passer certains bouts plus à pic. Plus je montais, plus les gens autour semblaient avoir remplacé leur face d'enterrement par un entrain sportif – ça devenait un jeu, à savoir qui, parmi nous, se rendrait jusqu'au sommet. Sauf pour quelques coqs qui, visiblement, ne comprenaient rien à l'esprit du moment, ça n'avait rien de compétitif : on se tendait la main, on s'encourageait, ceux qui arrivaient du sommet et qui redescendaient nous donnaient, chacun leur tour, leur estimé de la distance qu'il nous restait à parcourir.

Quand, finalement, j'arrivai en haut, il y avait une grande tente qui attendait le contenu de ma brouette. Je pris ensuite quelques minutes pour respirer, mais le bruit de la pluie qui frappait la toile de plastique finit par m'agresser, alors je repartis vers l'usine, quelques kilomètres plus bas. Juste un peu plus loin, je remarquai une installation bleue : c'était une bâche attachée au-dessus d'une structure en deux-par-quatre. Je m'approchai pour constater la complexité de l'arrangement : il y avait un véritable comptoir, un évier, une toilette et, tandis que j'arrivais encore plus près, j'aperçus deux personnes couchées en cuillère sur une banquette. À l'exception du plancher de terre, de l'absence de murs et de la toile qui faisait office de toit, c'était vraiment un bel abri. J'imagine que les personnes avaient senti ma présence parce que l'une d'elles leva la tête et, bizarrement, se coucha de nouveau avant de réellement assimiler ce qu'elle avait vu.

Je fais ça souvent, moi aussi : je réponds à quelqu'un qui me fait signe avant de savoir de qui il s'agit, on me suggère de goûter quelque chose et je finis par demander ce que c'est une fois l'aliment mâché. C'est une drôle de façon d'approcher les choses par à-coups. Quand la personne se leva de nouveau, j'allumai. Je la reconnus.

– Élisabeth !

– T'es qui, toi ?

– Qui vous a dit mon nom?

La personne qui l'enveloppait et qui, maintenant, voulait savoir qui j'étais sur un ton de Viking, s'avérait être son amoureux – je reconnaissais son visage, c'était le gars avec le chien mort sur le mont Pinacle – alors ça me gêna et je m'empressai de leur expliquer qui j'étais, ce que je faisais, ce que je voulais et je leur souhaitai de ne manquer de rien et je fis demi-tour. Mais après une trentaine de pieds, je me ravisai parce que je me souvins que j'avais voulu dire quelque chose d'intelligent à Élisabeth, la dernière fois que je l'avais vue, et que rien n'était sorti, alors j'essayai :

– Tu sais, Élisabeth, que ce qui manque à votre abri, c'est un tapis.

– *Man*, de quoi tu parles ?

– Un tapis, parce que si tu y penses, tes pieds tout trempes et sales vont juste gâcher votre patente.

– OK, euh, merci. C'est gentil.

– De toute façon, on sera pas ici longtemps, là.

– Oh, et puis, je voulais te dire que c'est drôle parce que c'est grâce à toi si je suis ici, en ce moment, à cause que tu m'as suggéré le poste d'assistant-équarrisseur pigiste et que j'ai accepté euh, tout de suite, alors je voulais te dire merci.

Son copain finit sans doute par voir que je ne représentais aucunement une menace pour son couple. Qu'ils étaient en mode survie, que personne ne flirte en mode survie, que j'étais de toute manière une petite merde avec un Nintendo Power Glove tandis que lui, il descendait des montagnes en transportant des cadavres de golden retrievers. Il se coucha et poussa un soupir que je trouvai un peu exagéré. Élisabeth le vit faire et s'approcha de moi discrètement avant de me parler, elle ne voulait pas le déranger.

— Ben, je me souviens pas vraiment de toi, mais il y a pas de quoi. C'est mon travail. C'était.

— J'espère qu'ils vont te réengager une fois que les choses seront revenues comme avant.

— Ouais, je sais pas quand les choses vont revenir comme avant.

— Ton chien est mort… Euh, je veux dire que j'étais là, avec lui, euh… ton chum, quand il l'a ramené. Il nous a laissés prendre son cadavre. J'ai vu son collier. Au mont Pinacle… C'était sûrement un chien, euh, très vaillant.

C'était maintenant son tour de me fixer droit dans les yeux assez longtemps pour que je me sente mal à l'aise. Ça ne m'aidait certainement pas à parler intelligemment. J'ai un vif souvenir de l'intensité de son regard : il avait beau pleuvoir des cordes, deux tuyaux de ouate liaient nos yeux. Après quelques secondes sans rien dire, elle tendit la main. Sa tête était légèrement penchée sur le côté.

— Merci, Étienne.

Oh mon dieu, sa main était toute chaude et douillette. J'y aurais installé un hamac et j'y aurais dormi longtemps. À partir de cette poignée de main je compris le rôle d'Élisabeth dans cette saga de Brome-Missisquoi. On se regarda pendant quelques instants et un courant passa de sa main à la mienne. Sa chaleur, son aura : c'était évident. Elle était divine, et moi, j'étais quoi ? En tout cas, je savais que je ne serais jamais dans la même salle qu'elle dans le Temple de la renommée de la race humaine. Je sentais qu'avec cette poignée de main et ce regard soutenu et sincère, elle me donnait accès à ce que très peu de pauvres gars sans emploi comme moi avaient pu connaître.

– Hé ! Hé ! Merci, Élisabeth.

– Bonne chance, là.

De retour dans la forêt, je flottais sur chaque goutte de pluie. Je voulais encourager mes collègues, j'étais en forme et tout allait bien. Cependant, je pensai aux gens chez McStetson Canada inc., et à leurs chants et sifflements de travail, et à comment ça pouvait vraiment tuer quelqu'un d'envahir son espace sonore – déjà que le visuel n'était pas renversant. Ce ne fut qu'une fois sorti du bois, plus près de l'usine que la fatigue me gagna, je compris alors les airs mornes des premiers pèlerins que j'avais croisés : le paysage nous apparaissait comme une vaste terre vaine et mon corps au grand complet me faisait mal à cause de l'humidité et de la drôle de tension qu'il fallait que j'ordonne à mes muscles de maintenir pour ne pas tomber.

Pouvoir voler, on peut être certain que je l'aurais fait. Je me rendis enfin à l'usine, on remplit ma brouette de serveurs, de microprocesseurs et de disques durs. Si au début, les employés d'IBM chargés de nous distribuer le matériel essayaient d'être délicats dans leurs manœuvres, ils ramassaient désormais le matériel à l'aide de pelles et nous le garrochaient comme du bran de scie à étendre dans une ferme sous les vaches.

Après ce deuxième aller-retour, j'arrivai à l'usine et je reconnus Valvoline qui m'attendait avec Jacques, près de l'entrepôt de l'usine : on décommandait les gens, les patrons d'IBM étant soit satisfaits, soit découragés. Toute cette technologie ne méritait peut-être pas autant de stress et de mouvement, il valait peut-être mieux la laisser se noyer, au lieu de la charrier sur un chemin de boue et de débris, sous la pluie et le vent.

Je demandai à Valvoline d'où elle arrivait, elle me raconta qu'elle et Jacques avaient été commissionnés pour une tâche particulière, puisque le truck voyageait bien dans les deux ou trois pieds d'eau entourant l'usine. Ils avaient dû remorquer les avions de l'aéroport de Bromont, à côté de l'usine, vers l'immense entrepôt d'IBM. En effet, quand je regardai à l'intérieur du bâtiment, j'aperçus une dizaine de Cessna et je ne pus m'empêcher de penser à ce que ça représenterait d'en prendre un, de me servir du viaduc de débris et de boue comme piste de décollage, puis de prendre mon envol.

– Pis toi, qu'est-ce que t'as fait en haut ? Pourquoi tu souris ?

– Je souris parce que c'est le déluge pis j'ai vu une licorne.

« AC-CENT-TCHU-ATE THE POSITIVE », ARTIE SHAW & HIS ORCHESTRA

*D*es récits insoupçonnés se cachent parmi nous. Il s'agit de les extraire du sol et de les polir quelque peu pour qu'ils deviennent des diamants indigènes. Un réparateur de bateaux entend un jour sur le radio de son garage, à la marina, un appel à l'aide en provenance d'un bateau qui se trouve au large. L'appel concerne une baleine à bosse qui est prise dans le cordage de cages à crabes. Avec une douzaine d'amis plongeurs, il décide de se rendre sur les lieux pour aider la baleine.

Arrivés sur les lieux, ils constatent que la baleine trace une sorte de virgule juste à la surface de l'eau : sa queue est tirée vers le fond par un amas de cages, quelques mètres plus bas. Elle ressemble à un point d'interrogation.

Ils mettent leur équipement de plongée et sautent à l'eau, armés de couteaux et de canifs, mais dès qu'ils approchent la baleine, elle les repousse avec ses nageoires. Imaginez deux gros panneaux de six pieds *frappant la surface. Elle est nerveuse. Les plongeurs réussissent à l'approcher tranquillement et commencent à couper les cordages qui lui serrent la peau. Parfois, c'est tellement serré qu'ils doivent planter leur couteau dans le cuir caoutchouteux de la baleine pour arriver à couper quelque chose. Mais l'animal ne bronche pas, il est occupé à regarder notre réparateur de bateaux, qui s'attaque aux cordes près de ses yeux. On se demande souvent c'est quoi une expérience surnaturelle. L'œil de la baleine — une petite boule de bowling — le suit dans tous ses mouvements.*

Ça dure une vingtaine de minutes, ils coupent tout et, quand la baleine est libérée, elle disparaît automatiquement vers le fond. Les amis se rejoignent à la surface, ôtent leurs masques, se donnent des high-fives et se racontent leur version de l'expérience. Puis, tout à coup, l'un d'eux sent une présence sous ses pieds. Il regarde et voit la baleine foncer, à la verticale, droit sur lui. Son cœur s'arrête de battre: un autobus marin s'apprête à le happer par en dessous. Mais, juste au moment de toucher ses palmes, l'animal géant ralentit et longe le corps de l'homme, toujours verticalement. La baleine, ensuite, fait quelque chose d'incroyablement humain, en tout cas quelque chose d'incroyablement bouleversant: elle l'entoure avec ses bras, comme si elle lui donnait une caresse. Elle reste comme ça pendant quelques secondes, tandis que les autres plongeurs sont tétanisés, silence total, la bouche ouverte, le masque embué, puis elle replonge vers le fond et, quelques instants plus tard, elle fait la même manœuvre avec le plongeur à côté. Ils sont subjugués : la baleine leur dit-elle merci ?

Elle donne une caresse à chaque plongeur, puis disparaît pour vrai dans les profondeurs de l'eau. Et je crois qu'il convient de dire que c'est tout simplement magique. Poursuivons avec un petit jitterbug du légendaire Edmond Hall, voici « Fade Out ».

Pinacle

Valvoline, sa famille, Jacques Prud'homme, Wilhelm Kaiser et la majorité des Charognards, les sous-traitants de Sanimal, les maires de Bedford, de Farnham, de Frelighsburg, de Cowansville, de Brigham, de Dunham, accompagnés de leur famille et de leur entourage, l'équipe du *Flux régional* – je pense même avoir vu les collègues d'Élisabeth, au Centre d'emploi, ceux qu'on soupçonne de se nommer respectivement Rita, Monique et Michel – nous étions près de deux cents personnes réunies sur le sommet du mont Pinacle, à surveiller l'immense cours d'eau qui nous entourait. Les bouts de maisons, de granges, d'usines et de bâtiments publics dérivaient tranquillement vers le sud. Les gens voyaient passer des morceaux du territoire qu'ils connaissaient et, malgré tout, l'atmosphère semblait paisible. Ça faisait beaucoup de bien de ne pas se faire pleuvoir dessus, il faut le dire : durant la nuit, la pluie avait cessé pour la première fois en cinq semaines. De toute façon, il fallait bien que ça s'arrête un jour. En tout, il aura fallu l'équivalent d'un mois complet de pluie pour remplir la région.

D'ici, on voyait très bien le mont Brome, et son petit voisin, le mont Gale, où veillaient sur un lot de documents informatiques, une licorne et son amoureux. Je souhaitai qu'ils survivent, eux aussi. Qu'ils repeuplent tranquillement leur île d'êtres extraordinairement beaux.

Il devait y avoir autant de gens rassemblés sur les monts Glen, Sutton, Pinacle, Brome et Gale. J'imaginai la région comme un archipel d'îles humaines, tout le monde en colonie de vacances. Puis, je constatai l'ambiance bizarrement décontractée qui régnait partout – comme si on avait tous décidé d'organiser des partys BBQ, ou des épluchettes de blé d'Inde sur les sommets du coin. Le ciel était d'un bleu primitif, un bleu qui nous précédait tous, qui remontait à beaucoup plus loin que nous, que les histoires de Jacques Prud'homme et que l'idée même d'une région nommée Brome-Missisquoi.

S'il n'y a qu'une seule action qu'on devrait toujours enseigner à nos descendants, s'il n'y a qu'un savoir à leur transmettre, c'est de lancer des roches pour qu'elles fassent des bonds sur l'eau. Ça, ou se fabriquer un lance-pierre avec n'importe quelle branche en forme de Y et n'importe quelle vieille

chambre à air dégonflée. Se déchirer les bas de culottes, se promener nu-pieds, porter des salopettes,
siffler, pêcher, faire des feux de camp, faire des
sentiers dans le bois : tout ça me paraît pourtant
impossible. Aujourd'hui, Huckleberry Finn et Tom
Sawyer feraient des changements d'huile dans un
garage crotté pour payer les enjoliveurs en plastique
qu'ils poseraient sur leurs bolides rapiécés, avec
lesquels ils iraient baucher sur les longs rangs qui
suivent le Mississippi. Ils auraient des casquettes
blanches avec des palettes pliées en V renversés
et ils boiraient des jus énergétiques comme de
l'eau. Les branches pour faire des lance-pierres, les
chambres à air, les roches parfaites pour faire des
bonds existent encore à peu près autant qu'en
1880 ; pourtant, elles sont, dans le monde moderne,
aussi anachroniques qu'un tour de calèche.

Nouveau lac Champlain

J'étais assis par terre et j'auscultais l'écran du lecteur optique de McStetson Canada inc. Après sa phase latine et sa phase littérale, la dernière réponse qu'il m'avait donnée avant de rendre l'âme à cause de l'eau qui s'était infiltrée dans ses circuits, avait été un code alphanumérique. Je n'avais pas pris le temps de le noter. J'hésitais à enlever le bracelet, étant habitué à son fil boudiné, au lecteur qui trônait vis-à-vis de la jointure de mon index comme un rubis sur une bague, à l'écran qui me donnait l'impression d'avoir un bras très musclé en cachant mon petit poignet. Depuis le soir fatidique où j'avais quitté l'entrepôt de McStetson Canada inc., le bracelet et le lecteur optique étaient devenus plus qu'un simple outil ou qu'un vulgaire morceau de vêtement. Je les percevais plutôt comme des appendices. Je décidai de les garder encore quelques jours, question de leur laisser le temps de sécher et de voir s'il leur était possible de recouvrer leurs

271

fonctions premières. Après, peut-être, j'irais les rendre à l'entrepôt.

Valvoline et Jacques s'affairaient à lancer maladroitement les quelques galets qu'ils arrivaient à cueillir un peu partout autour du sommet de la montagne ; s'il le fallait, ils piochaient sur le roc afin d'en dégager de beaux morceaux.

Au bout d'un moment, il fallut que j'en lance un ou deux, juste pour leur montrer comment on fait. Ils ne lançaient que les plus sphériques. Les meilleures roches, il faut les choisir : elles doivent être plates, épaisses et rondes. Le but est de faire le plus grand nombre de bonds, mais le vrai défi est d'arriver à les compter tous avant que la roche perde toute sa vélocité pour s'enfoncer dans l'eau. Chaque bond de la roche ralentit sa course d'un certain degré. Mon index formait un point d'interrogation qui entourait le projectile. Quand je le lançais, mon poignet effectuait un mouvement sec, fouetté, nécessaire à la rotation de la roche, et au moment de le lâcher, le point d'interrogation de mon index se transformait en point d'exclamation qui semblait résonner, un écho dans mes os, au rythme des bonds de la roche sur le courant paisible de ce qu'on nommerait désormais le nouveau lac Champlain.

Bonds

Valvoline me tendit un galet triangulaire et effectua un petit hochement de tête pour tasser une couette invisible. Elle se tourna vers le large et me demanda ce que je pensais de la tournure des événements. Je lui répondis que tout ça ne me semblait pas si mal, que bientôt, une centaine d'hélicoptères et de bateaux arriveraient probablement pour nous amener ailleurs. Puis, elle voulut savoir ce que je comptais faire. Quand je lui demandai «quand?», elle dit «dans la vie».

Je pris alors mon élan et je lançai le galet qu'elle m'avait offert. Puis, je la regardai en souriant. Entre deux ricochets, le temps s'immobilise: je vais continuer de faire des bonds.

TABLE

Achevé d'imprimer sur les presses
de Transcontinental Métrolitho
à Sherbrooke, Québec, Canada.
Troisième trimestre 2010